ありがとう

越中さん

はじめに

越中哲也さんは魅力的な人だった。来る者を拒まず、去る者を追わず、人の悪口をいわず、ユーモアたっぷりに長崎弁でわかりやすい話をする人だった。白寿という99歳で、百歳まで届きそうな２０２１年9月25日に静かに旅立った。ご家族は「家族にも迷惑かけずに逝った」と振り返る。「来年は私が精霊船にのりますけん」とテレビ解説での名セリフは、毎年の夏の名残りだった。

「長崎学」ということばは、越中さんの生き方を示すことばといってもいいかもしれない。長崎という町の歴史、文化の本質を全身で生き切ったといってもよい。「あちらも立つごと、こちらも立つごと」といって、目くじらをたてることをさらりとかわした。

この本は、越中さんの生き方の、ほんの一端に迫る内容でしかない。長崎新聞で50回にわたって連載された聞き書きをまとめて読みたい方に、お役にたてば嬉しい。新聞社のご配慮で、刊行が実現できたことに感謝して、はじめのことばとしたい。

目次

「ここにおります」―越中哲也さん聞き書き

長崎新聞連載50回分一挙掲載

越中哲也さんの実像を語る――かかわった人々の証言特集

カバーデザイン：ミウラデザイン事ム所
編集スタッフ：阿部成人

第一部

ここにおります

越中哲也さん聞き書き

〈長崎新聞連載50回分一挙掲載〉

◆２０１９年12月13日で98歳の誕生日を迎えた郷土史家の越中哲也さん（長崎市）。長崎学の継承、発展に長年尽力し、ユーモアあふれる人柄でテレビ番組の出演など多く、お茶の間でもなじみ深い。長崎の戦前、戦後史と共にあったその長い軌跡を振り返ってもらった。

聞き書き：田代菜津美

①　もうすぐ100歳

「自分を見つめましょう」

最近、朝食に出たイワシとたまたまね、目と目がおうたのよ。あぁ、すみませんと思うたよ。お魚は一生懸命生きているのに、それを捕って食べる。何もないような私が生きとって、すみませんって気持ち。偉ぶってるんじゃないですよ。

われわれの子どものころは、100歳のおじいちゃんなんておりませんでした。80歳まで生きればってね。それが13日で98歳よ。あなたがたは想像つきますか。

85歳ごろまでは私もまだ生きたいと思っていました。これをしたい、あれをしたいってね。90歳になったらね、足が痛い、腰が痛い、遊びに行けないし食べたくない。生きたいっていうのが無くなるのよね。花がきれいだとも思いません。なんにも無い。犬はかわいい

半生を振り返り「全てが先輩方のお導きだった」と語る越中哲也さん＝長崎市伊良林１丁目、光源寺

けど。

　来年まで生きてるだろうか。明日はおらないんじゃないかと思うのよ。これでおしまいじゃないかと。朝、目覚めたら外が明るい、ああ生きとったねって思う。本当よ。長生きしたいと思わない。ただここにおりますってだけの話。

　同じ90代の人は生きててもしょうがないと思っている人もおられるかもしれない。私も全くその通りよ。全ては自分の心の持ちよう。自分を見つめましょうと伝えたい。今になってね、親鸞聖人の言葉を集めたものを読み直しているんです。

　わたしの一生はうそいつわり、まことあることなし。今はそんな心境です。

　考えれば楽しかった。お寺に生まれて坊さんをせんでね。若いときは酒を飲むし遊ぶしね。放蕩《ほうとう》道楽。途中、がんで3回手術しました。今も傷跡が残っています。

98年って長いですよ。若い頃は早かった。欲が多いんですね。いろんな経験をしました。全てが先輩方のお導きです。これからそのお話をしていきたいと思います。越中っていう男は適当な男やった、うそばかり言いよった、それでいいんじゃないですか。

【掲載日】2019年12月14日（土）

② 誕生

アメリカに渡った祖父

私は大正10（1921）年12月に生まれました。景気が一番良い時代。伊良林《いらばやし》1丁目の光源寺のなかに玄成寺《げんじょうじ》というお寺があって、そこで住職をしていた父越中聞信《もんしん》の長男として生まれたの。

長い間、両寺はきょうだいでした。光源寺が本家でね。光源寺には岐阜県から養子にきた楠活雷《くすのきかつらい》という人がいてね、その人が進歩的な人だった。死んでも仏様はありませんって言うのよ。そういう思想がはやった時代。厳格な人だったと記憶しています。

活雷さんのいる光源寺には斎藤茂吉（大正6年に来崎）を中心に新しい文化の人が集まってきたそうです。若山牧水とかね。

父と母奥村キヨの間には（自分を含む）男の子2人と女の子2人おりました。私が小学生の時に母が亡くなると、父が光源寺の活雷

父の越中聞信さん
(越中さん提供)

楠　活雷さん
(越中さん提供)

さんの娘と一緒になって、さらに弟2人が生まれた。少し込み入ってるんだよね。

母方の祖母の家系は島原藩の侍だったそうです。江戸時代が終わって長崎に移ってきました。祖父は永野謙吉といいました。鎌倉の人でね、若いころは横浜で仕事をしとって。ハイカラで英語がしゃべれたそうです。

祖父が若いころ、横浜に行ったら、オーストラリアに行く船があったので、飛び乗ったそうです。着いたら田舎だったからまた乗り換えてアメリカへ。そのうちに戦争が始まったから帰ろうとして、最後は旅順に行ったって言いよんなった。

帰国後は三菱関係に勤めて、三菱長崎造船所が新大工町にクラブをつくると、そこの管理を任されたそうです。クラブは技師たちの社交クラブです。広かったですよ。

そのクラブの敷地にあった2階建ての大きな建物で、私は中学のころまで祖父母、2人の女中さんと暮らしました。敷地にはほかにテニスコート、それから弓道場、剣道場、ゴルフ稽古場、玉突き場があってね。今考えたら豪華な生活やった。

【掲載日】2019年12月18日（水）

③ 母

昔の侍のようなしつけ

私は子どものころ、両親と離れて新大工町の祖父母と暮らしていました。母キヨは教育熱心だったのでしょう。光源寺のある伊良林を、当時田舎と言っていて、新大工町の実家で育てたかったようです。何で母が伊良林の父の元に嫁いだのかは分からん。母は俳句をして、父は和歌を作っていたので、どこかで一緒になったんじゃないですか。

幼少期を過ごした新大工町の三菱のクラブには、技師の人たちが会社の帰りや休みの日とかにお寄りになって、テニスをしたり玉突きをしたり碁を打ったりしていました。東京の学校を出た人たちでお金持ちさん。ちょっと今では想像つかないような、上流社会だったんでしょう。私も近所の人からお坊ちゃまと呼ばれていました。

越中さんの母が助手を務めたという裁縫学校の創設者、
玉木リツさん（2列目の右から2人目）と生徒ら＝大正期
（玉木学園提供）

母は県立長崎高等女学校を卒業し、玉木リツさんが創設した長崎女子裁縫学校（長崎玉成高校の前身）で助手を務めたことがあるそうです。それから、おばあさん（キヨの母）は武家の娘でね。2人ともそれはもう、厳しかったんですよ。

昔の侍のようなしつけでした。朝はおはようございますと手を付いてあいさつしなさいとか。げたをそろえて上がりなさいとか。ああしなさい、こうしなさいと。窮屈で本当に嫌でした。

小学4年の時、長崎でチフスがはやりました。一番下の妹が生まれたころだったと思います。母がチフスで亡くなったんです。そのとき私は何て言うたと思う？　ああ、良かったって。「ばかね、親が死んでああ良かったたって言うもんじゃない」と叱《しか》られました。母があんまり厳しかったんですね。

「娘みよけたりざぼわんの花地に落ちたり」。亡き母の書いた言葉が、玄成寺の床の間に飾られていたのを覚えています。亡くなったのは32、33歳くらいだったのかな。明治生まれでした。

母の死後も、おじいさんとおばあさんの下で育てられました。子守の女中さんがいて、名前は川谷シマさん。五島の有川の方でした。私が生まれてすぐからいて、母親代わりだったんでしょうね。「ねえや」と呼んでいました。幼稚園や小学校に通う時も付き添ってくれました。

【掲載日】２０１９年12月25日（水）

④ 正月

こま回しの思い出

幼稚園は初めはね、長崎市の今町（現・金屋町）に私立慶華幼稚園ってあって、そこに行っていたのよ。2カ月くらいして、遠いからって桜馬場にあった県女子師範学校付属幼稚園に移った。あんまり覚えていないけど、大きい組と小さい組の2クラスあって、それぞれ20人くらいいたと思います。

子どものころのお正月といえば、こま回しを思い出します。当時は新大工町で祖父母と暮らしていましたが、小学生にもなると伊良林の光源寺に遊びに行きよった。

自分のこまをいくつも持ってきて、寺の門のところでしよったですよ。「いきながしょうもん、しょうくらべ！　よーい、よい」と。今は佐世保独楽《こま》が有名ですね。われわれは銅座ごまって言っていま

越中さんが通った長崎県女子師範学校付属幼稚園の卒業記念写真
(昭和３年３月、越中さん提供)

した。

うちのおばあさんは、昔通りのお正月をしよりました。表に魚を下げたり、家の戸口に松を置いたり、門のところには大きな門松を飾ったりね。

12月25日くらいになると、郊外から餅つき屋さんが来ていました。前日に、何時ごろ来ますからお米を洗っといてくださいと約束するんです。４~５人で大きな釜ときね、臼を担いでおいでだった。近所何軒かの真ん中に釜を置いといて、順番にせいろで米を蒸してついてくれるの。せいろ一つにはお米が5升か3升入る。普通の家はそれを三段くらいだから、1斗くらいつくんでしょうね。

一番初めについた餅は鏡餅にしてくれまし

た。食べる用は何人か女性が加勢に来て家のもんで丸めたの。家の中にござを敷いて、しばらく干しとったですね。硬くなったら保存用の大きなつぼに入れていたと思います。

大みそかは夕食にそばを食べました。本当は夜だけど、夜は寝ているから。除夜の鐘は家で聞いとくだけ。外灯がなくて危ないからね。

元日の朝は早く起こされて、祖父母、女中さんみんなそろって、おせちと雑煮を食べました。長崎の雑煮には餅、ブリ、大根、芋、菜、するめ、かんぼこが入る。それが決まりよ。大きな雑煮わんというのがありました。お年玉はもらわなかったね。

【掲載日】２０２０年1月8日（水）

⑤　小学校

放課後は習字に剣道

小学校は長崎市の桜馬場にあった県女子師範学校付属小に通いました。学年に男が1組、女が1組で、男女別だったのね。制服を着て、ランドセルでした。

給食はありません。みんな弁当を持ってきていた。おにぎりと梅干し。そのくらいでした。今のようにごちそうはなかったんでしょうね。

朝はお茶漬けです。おひつからご飯をついでね。長崎の古い家庭ではそう決まっていて、朝にあったかいご飯は食べよらんかった。みそ汁は晩だけ。そうでない新しい家庭を「あそこの家は朝からみそ汁のでっとげなよ」と言っていたくらいでした。

小学生の時から自宅には勉強部屋があって、勉強ばかりさせられ

越中さんが昭和初期の幼少期に通った中島川沿いの銭湯周辺。写真は大正初期
＝「ふるさとの想い出 写真集 明治大正昭和 長崎」（国書刊行会刊）より転載＝

ていました。3年生になると放課後はお習字のけいこです。平田先生っていう男の先生が桜馬場で教室を開いていました。嫌やったですよ。字を書かないといけないのに、私は時計の絵とかを描いて怒られよった。

家に帰ると剣道をしなければなりません。三菱のクラブには道場があったので、おばあさんから武道をしなさいと言われて。柔道は投げ飛ばされるのが嫌だから、剣道にしました。

4年生で母親が亡くなると、放課後にこっそり家を抜け出して伊良林に遊びに行くようになった。「ちょっと勉強してくる」とか言って。女中さんがだまっててくれたのよね。

光源寺の境内やあの辺の道端で遊びよっ

た。こま回し、ビー玉、ハタ揚げとか、決まっていた。近くの子どもが20人くらい集まって、後藤泰一郎さんっていう子が大将だったの。まちをただ走るだけで楽しかった。道端が運動場みたいなものでした。

中島川で遊ぶこともありました。魚がたくさんおったんですよ。ドジョウやフナとか。捕った魚は家に持って帰って金魚鉢に入れていました。

2日にいっぺんくらい、夕方になると銭湯に行きました。家には風呂があったけどね。家の川向こうに水神さまを祭るお宮があって、その下の方の大きなお風呂屋さんで多くの人が汗を流していました。

【掲載日】2020年1月15日（水）

⑥ 戦前の長崎

夏休みは一人で上海へ

私の子どものころはもう、長崎では路面電車が通っていました。自家用車がある家はよっぽどで、みんな電車に乗るか歩いていました。

矢上に「東望の浜」ってありましたね。夏休みにはあそこまで歩いて海水浴に行きよった。日見トンネルを越えてね。ねずみ島は大波止まで出て船に乗らないといけないから、こっちが近いということだったんでしょうね。

小学4、5年になると夏休みには中国・上海に一人で行っていました。東京よりか上海が近いし安いから。長崎の人は「1次会は長崎で、2次会は上海で」って言いよったんですよ。夕方に出島から船に乗るでしょ、朝目覚めたら上海でした。

進水式の浅間丸
（1928年10月31日の長崎日日新聞より）

10日から20日、上海の日本租界におじいさんの知り合いの家があって、そこで過ごしました。「英語を勉強してきなさい」と言われよったけど、毎日遊んでさるきよった。向こうの中国人の女中さんが実家に連れて行ってくれたりして、面白かった。

長崎の新地は当時、まったくの中国人街でした。何人かで隠れて遊びに行きよった。お菓子やなんかが安いんですよ。あの頃はまだ、纏足《てんそく》のおばあさんがいました。

大浦方面も普段は行かないけど、小学2年くらいまでは10日にいっぺん、おじいさんに付いて弁天橋近くのカルノ商会に出掛けました。百貨店みたいな大きなお店で、バターやらチーズやらを買っていたんじゃないでしょうか。店長は外国人で、日本語をしゃべっていました。

大浦は全部洋風建築でした。おかしかねえと思って見ていました。観光という概念がないの。異国情緒というような感じはなくて、それが当たり前の生活だった。

おじいさんに連れて行ってもらったところで覚えているのは、船の進水式ですね。一番印象的な船は「浅間丸」。アメリカ行きの大きくてきれいな客船でした。式の後は宴会をのぞいて帰った。子どもながらに、偉い人がいっぱい集まる会という感じがした。戦前の長崎は活気がありました。

【掲載日】２０２０年1月22日（水）

⑦ 中学
週1回 厳しい軍事訓練

中学は、小学5年ごろから受験勉強をして昭和9（1934）年、長崎市の鳴滝にあった旧制県立長崎中に入りました。「長中《ちょうちゅう》」と言っていた。5年制で、成績はずっと落第すれすれ。数学なんかはだめだったですね。

ただ歴史とか文化的なものは良かったようです。住んでいた三菱のクラブには蔵書があって、そこの本から「御朱印船物語」という研究にまとめて、中学の文集に載りました。興味があったんでしょうね。

中学のころから毎朝ゲートルを巻いて登校して、上級生に会ったら「おはようございます」と敬礼しなければなりませんでした。なるべく会わないように、隠れてさっと行っていました。

昭和12年度「県立長崎中学校級別写真集」に載っている中学４年の越中さん　(長崎歴史文化博物館蔵)

週に一回、体操の代わりに軍事訓練がありました。50歳くらいの配属将校がおって、厳しかった。歩き方とか射撃の訓練とかがあって、卒業の年に一度だけ浦上方面の射撃場で1発撃たせられました。

国がはっきり戦時体制を取るのはもう少し先の、私が高校生の頃くらいからですが、明治27、28年の日清戦争で勝って、明治37、38年の日露戦争で勝って、戦争で日本という国はここまで来たんだから、軍隊の基礎的なことはきちんとしなさいっていうのがあったんでしょうね。

その大本になったのは明治23年の教育勅語よね。小学校でみんな覚えさせられました。学校に入るとすぐの所にご真影の部屋というのがあって、天皇陛下の写真に必ず礼をしてから入っていた。中学にもありましたね。中学では歴代天皇の名前も覚えさせられていました。

今で言う国家主義ですね。国のため、戦争のためにこれをしなさいと言われたらそうしないといけなかったんですよ。敵が攻めてくるからやっつけなさいと、簡単に言うとそんな考えよね。それが当たり前だった。子どもだったのであんまり新聞も読みませんでした。日本がどうなるのかとか考えなかったですね。

修学旅行は朝鮮から満州、旅順、大連に行きました。日露戦争の激戦地だった二〇三高地を見学して、「日本はこんな戦争をして立派になったんだぞ」と教えられました。日本って強いんだなと思っていました。

【掲載日】2020年1月29日（水）

⑧ 予科時代

京都で尺八に熱中

中学を出ると、京都の龍谷大学予科に進学しました。仏教系の学校で、当時お寺の子どもは補助金がもらえた。長崎では進学先が商業学校や医専などで、文学系統がなかったというのもあるのよね。

昭和14（1939）年、長崎駅から一人で汽車に乗って京都に行きました。（進学は）親の命令ですから、寂しいとかはありませんでした。予科の3年間と大学2年で兵隊に行くまで、計約4年半を過ごしました。全然知らない土地でしょ、私の人生はそこから変化したように思います。

新しく寮ができていました。樹徳寮といって、最初の1年はそこに入りました。福岡県の柳川から来ていた生田君という、寺のお坊ちゃんと相部屋です。

越中さんが使っていた楽譜など

寮では朝6時に起こされた。大きな運動場があって、ラジオ体操をしてたごたったね。朝ご飯をみんなで食べて、それから学校まで30分くらい歩いて行っていましたよ。全てが訓練。夕方はまた勉強したり、剣道をしたりしていました。

予科での勉強は英語に加えて、お経の本を読むのに必要なサンスクリット語、チベット語、あと当時は日独伊の三国同盟でしたからドイツ語も勉強しました。語学ばかりでしたね。

坊さんにはなりたくなかったんだけど、おやじが学費を出してくれたでしょ。跡継ぎになるようにとは言われなかったけれど、お経を勉強せないかんかなというのが頭のどこかにあったんでしょう。

予科2年になると、京都市東部の山科で下宿しました。寮から下宿に移って寂しかったんでしょうね。友達が尺八せんかって誘ってくれて。私の実家には尺八があったので、それを持ち出して始めました。学校に部活のような和楽器教室があって、ずっと勉強させられたんです。

尺八に合わせるお琴と三味線もしました。同級生に金剛流の家元の人がおられて、お謡いも習った。お金もないし、今のように遊びに行くところがないしね。

兵隊に行くまで3年以上もこんなことをやっていたら、ある程度認められたんでしょうね。京都のどこかで音楽会があって、学生から何人か選ばれて演奏することになったのよ。

兵隊に行く前に呼んであげようということだったんでしょうね。兵隊に行ったら生きて帰れないのが普通だったから。ところが畳の上で座ってから、尺八を吹こうとすると、音が出んじゃないね。緊張しとったとやろうね。合奏だから良かった。ああ、もう出ちゃいかんと思うたよ。

【掲載日】2020年2月5日（水）

⑨ 日曜学校

山崎昭見先生の教え

龍谷大予科、同大に通っていた京都時代は、人生の転機となる出会いがありました。一人は、京都市の五条、大和大路にあった妙順寺住職の山崎昭見先生。大学で教育学を専攻された山崎先生は、お寺でサンデースクール（日曜学校）というのを始められた人です。

長崎を離れているから、特に日曜なんかは寂しいでしょ。友だちが誘ってくれて、予科1年のころから毎週日曜に山崎先生の助手のようなことをしていました。お昼ご飯に弁当が出ていたから、食費が浮かせるとも思ってね。山崎先生は大分県の方で、「おまえも九州じゃないか」ということでかわいがってもらいました。後に、現龍谷大平安高校の校長先生になられた。温かい人柄でした。

山崎先生の先生が、アメリカからいわゆる社会教育を持ってこら

京都で越中さんが多くのことを学んだ山崎昭見さん　（光源寺提供）

れたそうです。妙順寺に小学3年から中学1年くらいの子が40人ほど集まって、青少年の教育とはどういうものかを実習的に教わりました。あの頃子どもが勝手に遊んでいたのを、「それじゃあいかん、遊びの中で教育をしなさい」と。体操をしたり、運動会をしたり、音楽を演奏したりね。

その頃には、祖父母と暮らした長崎の三菱のクラブは閉じられて、祖父母の家は光源寺（長崎市伊良林1丁目）の近くに移っていました。夏休みで帰省する時には山崎先生の教えを持って帰って、光源寺でも近所の子どもを集めて日曜学校を開くようになりました。それまで知らなかったのですが、父聞信も明治から大正にお寺で日曜学校を開いていて、「もんしゃま」と呼ばれていたそうです。

戦時中でしょ。爆弾が落ちたらこうしなさいとか防火対策を町内を中心にやるよう命令されとったのよね。京都でも学んだし、子どもだけほったらかされていたのを、教育というか訓練せないかんという意識があったんじゃないでしょうか。京都から土産に買ってきた紙芝居を読んだりもしたようです。

私が兵隊に行った後も、上級生の子どもたちがささやかな集会を時々開いてくれました。戦後復員するとまた再開して、ひかり子供会として活動が広がりました。

【掲載日】２０２０年2月12日（水）

⑩ 大学

戦後の活動に影響

今の高校に当たる龍谷大予科の3年の間に、戦争が始まりました。予科を終えると、昭和17（1942）年同大文学部に進み、下宿は京都市西部の嵐山に移りました。下宿で家庭教師みたいなことをして、朝ご飯だけ食べさせてもらいました。お金がないので観光とか遊びはできません。とにかく学校と生活で精いっぱいよね。

予科までは授業の時間割が決まってますわね。大学は各教授の下で講義を聴きに行くのよね。比較的に自由な勉強時間が多かった。この講義は聞くけど、これは聞きたくないとかね。

宗教哲学を専攻していたので、哲学的なものや文学、歴史学とかを選んでいたと思います。大学の先生方の講義を聞いたのが私の戦後の活動に影響したんじゃないかな。勉強はこういう風に基礎から

越中さんの親戚で、多くのことを学んだという作家の足立巻一さん
（光源寺提供）

習うべきものだと教わりました。

　とにかくお金がないからね。龍大に大きな図書館があったので、無料で本が読めるし通うようになりました。後に館長になる平先生という人が島原出身で、「おお、長崎から来とるか」って言って、こんな本を読みなさいと指導してくれました。

　一番頭に残っているのは、哲学者の西《にし》田《だ》幾《き》多《た》郎《ろう》先生の本を読ませられたことです。京都大の西田先生の門下生が龍大に教授としておられました。今でも「絶対矛盾的自己同一」という西田哲学の言葉を覚えていますよ。

　京都から長崎へは長旅なので、帰省は夏休みくらいだったと思います。汽車賃がたまったら、神戸にいた父方の親戚に当たる足立巻一先生の家に遊びに行きました。有名な作家で、おじいさんが漢学者の足立敬亭。あそこに行けば面白い話が聞けるし、とにかく当たり前のご飯を食べさせてもらいたかった。

ある時、足立先生から神戸の博物館が長崎のものを集めとるよと言われて、見に行きました。南蛮びょうぶをはじめ、南蛮絵やガラスなどの長崎の美術工芸品がそろっていました。

なんで長崎のものが神戸にあるとやろうかと思うたよね。戦後、長崎市の学芸員を任されると、そういえば神戸にいろいろあったなと思い出して調べました。

【掲載日】２０２０年2月19日（水）

⑪ 学徒派兵

国のために訓練

戦争との最初の関わりは、予科時代に参加した中国への学徒派兵です。夏休みの間だったように思います。

全国の高校や大学から選ばれた学生に、実際に戦地を見てこいってことだったんでしょう。どうしてだか龍谷大予科を代表して行けということになった。子どもの頃から剣道したりしていたでしょ、それがあったんじゃない。

満州を見る組と、今の華北方面を見る組があって、私は後者の組。中国山東省の済南を中心に行き、途中、向こうの将校が中国の史跡などにも連れて行ってくれました。

棗《なつめ》荘という地名が頭に残っています。第一線だったんでしょうね。すぐ向こうに戦争の相手がいるというところを鉄砲を持って歩

「長崎要塞司令部移転記念絵葉書」
（長崎歴史文化博物館蔵）

かされました。

覚えているのは夜にね、鉄道を敵が破壊に来るから、その見回りについてこいというんです。線路に打ってあるくいを、向こうのスパイが引き抜くんですって。それを調査するために、真っ暗な中を歩きました。

恐ろしかったですが、死ぬとか生きるとか、当時は考えないんですよ。国のために働かないといけないって一心だから。そういう教育なんです。国のために訓練を受けているんだっていう信念なんですね。

長崎は明治32（1899）年から要塞《ようさい》地帯になってました。三菱があったからよね。長く飽の浦に要塞司令部がありました。軍が船を造っている長崎港が見えないようにと、大浦方面の各家は目隠しのための柵を立てていました。同じ理由で山を登ってもいけません。写真を撮ることもできません。そして長崎はまだ空襲を受けてませんでした。

大学生は、卒業するまでは兵隊に行かなくて良かったのですが、戦争末期は学徒出陣によって男は20歳になると兵隊にならないといけなくなりました。兵隊に行くのが大学に行くのと同じだと。

昭和18（1943）年春、私は大学生でしたが20歳を過ぎていましたので、兵隊に行きました。

【掲載日】2020年2月26日（水）

⑫ 初年兵

便所へ行くにも敬礼

召集令状が来る半年ほど前に、徴兵検査がありました。京都から長崎に帰って受けました。身長、体重、あらゆる身体検査と、体力測定があります。中学の同級生たちが来ていました。

甲乙丙ってあるでしょ、私は乙だった。近眼で中学の頃からメガネだったからね。乙までは必ず兵隊に行かないといけません。

その後、兵隊への集合1カ月前くらいに自宅に召集令状が届くの。一軒一軒、市の役人が封筒に入れて持ってくる。私は当時京都におって、「来たよ」って電話があったんじゃない。

兵隊に行くというのは軍隊に入ることで、出征は戦地に行くことです。戦地に行くことは周囲に教えてはいけない。秘密だから。兵隊に行くときに、町内から見送られます。

越中さんが初年兵として過ごした大村の旧陸軍歩兵第46連隊の正門
（大村市歴史資料館蔵）

私の時は町内から10人くらいが汽車で兵隊に行き、旗を振って行ってらっしゃいと見送られました。兵隊に行くことが当時、男の自慢でした。その家も、うちから兵隊を出したということが自慢だった。天皇陛下のご命令で国のために行くのは栄誉だったんです。最初は、大村の陸軍歩兵第46連隊でした。兵隊は初年兵から始まって、訓練を受けると一人前の兵隊になるわけよ。

なにしろ命令通りにしないといけない。訓練、訓練、訓練で、合間に「寝なさい！」「起きなさい！」「洗濯しなさい！」です。食事は米と麦を混ぜたようなご飯が出た。何分で食べなさいと言われて、「はい！」と食べ、「お便所に行っていいですか！」と敬礼する。すべてが訓練さね。きついとか何とか言ったらいけません。付いていかないといかん。倒れるまで。付いていけないものは兵隊じゃないの。ちょっと今は想像つかないでしょうね。

それから4カ月目に、実際の一線に送られるわけです。配属って言いますかね。私は九州の積部隊に入って、鹿児島県の鹿屋に行きました。米軍の本土上陸に備える、防備の第一線でした。

【掲載日】2020年3月4日（水）

⑬ 兵隊

運命で東京の兵学校へ

昭和18（1943）年に大村の陸軍歩兵第46連隊で初年兵を4カ月。その後に配属されたのは、鹿児島県の鹿屋《かのや》にいた部隊でした。航空隊がおったですよ。敵が攻めてくるからと言って、沿岸の防備をさせられていた部隊です。

それまでは鉄砲の扱い方とか基礎訓練でしょ。鹿屋では敵が海戦から上がってきたら、こういう風に撃てなどという実的な訓練です。そして防空壕《ごう》というのかな、備えを造れって土木工事みたいなことをさせられよったですね。

ある時、「おまえ越中じゃないか」と声を掛けられました。部隊の副官で、倉成中尉という人でした。中尉といったらね、当時は偉いんですよ。神様みたいなものでした。

昭和18年、入営した頃の越中さん
（光源寺提供）

聞けば倉成中尉は、県立長崎中の先輩。その人がね、「おまえこんな所におったらダメだぞ。学校に行け」と言うの。兵隊におって穴掘りだけするのはかわいそうだと思ったんでしょうね。それで部隊から1人選ばれて、東京の中野にある兵学校に行くことになった。運命と思うたよ。鹿屋には結局、4カ月くらいいたと思います。

中野の学校は、中野駅をおりて右側へ真っすぐ行った所にありました。戦後、そういう話をすると、それは「中野学校」じゃないですかと人から言われます。中野学校っていったら諜報《ちょうほう》関係の特殊な学校よね。

よく覚えていませんが、中野学校の一部で開かれていた講習会のようなものを約1年受けました。中野学校でもないし、近くにあった憲兵学校でもなかったと思います。恐らく戦争末期で、人が足らなかったのでしょう。そこで最後まで学んだら補助憲兵になる資格が与えられたようです。

午前中は勉強して、午後は訓練で皇居まで兵隊の服を着て歩かされた。警備よね。厳しかったですよ。

勉強はそれはもう、鍛われる、鍛われる。「おまえは何をするか？おまえは言葉をしろ！」と言われて、英語ばかり学ばせられたようです。「教えたことは今日中に覚えなさい」と将校がいばって言っていました。

【掲載日】２０２０年3月11日（水）

⑭ 終戦

何かがおかしい朝

東京・中野の兵学校で約1年の講習を受けた後、昭和20（1945）年4月からは福岡の二日市に行きました。私を何か使う目的があったのかしら。そこでも専門的に勉強せろと言われました。

軍の学校が二日市に移ってきていたようです。その頃には朝鮮の人も徴用で訓練を受けることになっていて、同じ学校で講習を受けました。全部で50人くらいおったでしょうか。

よく覚えていませんが、午前中勉強して、午後は訓練でした。米軍が攻めてきたらどうするか、対策を練る仕事のようなこともしていました。兵隊をどうするとか、食料をどういうルートで持ってくるかとか、そういうことをね。

福岡市は空襲を受けましたが、二日市はありませんでしたので、

越中さんが戦時中に使っていたゲートル

私は空襲を知らんのですよ。いつか空襲があるだろうから、敵機を落とさないかんという気持ちはありました。

8月15日の朝、起きたらなんか変だったのよ。幹部が荷物を持って出掛けられるんです。わーっとね。なにかあるとやろうかと思ったけど、誰も教えてくれない。お昼頃になると、朝鮮の人たちが黙ってぱーっと出掛けていなくなった。学校から逃げていくって普通ありませんよ。

何かおかしいと思いました。残ったのは日本人のわれわれ実習生ばかり。誰となく、「日本は戦争に負けたとよ」と言うてきました。正午から重大なお知らせがあるからね、集まれって言われて玉音放送を聞きました。

戦争が終わるなんてことは全然思っていませんで

した。「負けた」って、どうしたとやろかと思うた。みんなね。負ける戦争に行くもんね。勝つと思うから行くのよ。

兵学校の下の方に道路がありましてね、まもなく博多から荷物を持ってたくさんの人が逃げていくのが見えました。米軍が上陸してきて、女や子どもは捕虜になるげなよっていううわさが立って、田舎へ、田舎へと逃げていたようです。

それから1時間くらいした午後1時ごろ、「長崎は新型爆弾で全部やられたよ」と聞かされました。

【掲載日】2020年4月1日（水）

⑮　帰郷
山を見たら木がない

日本の敗戦を知った後も、残務処理を加勢してくれということでしばらく福岡の二日市におりました。長崎は新型爆弾で燃えて何もないからね、帰ったってしようないと。それ以上の情報はないし、軍隊にいると家族のことは思うてはいけないの。

倉庫にいろいろあった外套《がいとう》などを整理させられたようです。9月になったら「おまえの好きなもの持って帰ってよろしい」と言われました。「汽車はあるんですか」と尋ねると「来る」と。兵隊さんを故郷に送る汽車があるから、それに乗って長崎へ帰るようにということでした。

長崎にはなにもないと言うからね、洋服とか毛布とかご飯茶わんとか持てるだけ持って帰りました。お米やなんかは軍隊にはいつも

越中さんが帰郷した終戦後間もない伊勢町方面の様子。
＝1945年８月20日～９月30日に撮影
（長崎原爆資料館所蔵）

あるでしょ。まさか長崎にお米がないなんてことは頭になかった。後になって、あの時食料を持って帰れば良かったと思うのよね。

９月５日、駅に行くと、汽車が1時間に1本くらい来ているようでした。到着した汽車は石炭を運ぶような屋根の無い貨物列車で、行き先も書いてない。復員する兵隊さんがいっぱいで、乗れそうにもありません。そこへ「おーい！」と車内から呼ぶ声がして、見ると中学の同級生だった光富君がいました。「この汽車は長崎に行くよ」と言うから、荷物を取ってもらって、そこに乗れた。

戦争が終わったから、家に帰らないといけないという思いだけでした。道ノ尾（西彼長与町）まで来ると、聞かされていた通り、焼け野原で本当に何もありませんでした。家も植木もない。山を見たら木もないのよ。あまりのことに頭がぼーっとしていました。

昼すぎに長崎駅に着きましたが、駅舎がない。出口の方には柵があったと思います。汽車が止まって、何人か降りてばーっと分かれていきました。私は荷物があんまり重たくて、駅前に防空壕《ごう》がいくつもあったので、そこにぽんと放り込みました。

自宅のある伊良林の方を見ると、市役所が一つ焼け残っているのが見えました。市役所まで歩いていきますと、伊良林の方は森が残っていました。ああ、うちは燃えとらんやったねと分かって、大急ぎで帰ってきました。

【掲載日】2020年4月8日（水）

⑯ 家族の無事

ほっとした気持ち　今も

終戦後、長崎市に帰ってきて光源寺が無事に残っているのを見て、ほっとした感じが今でも心に残っています。ああ、家はあったばいねと。兵隊から帰ってきたあの時の気持ちは、ちょっと今の人には考えられませんよね。私もあんまり覚えとらんのです。

本堂が原爆による爆風で半分傾いていましたが、父親やきょうだいたちはみんな無事でした。次の弟は飽の浦にあった三菱の工場で被爆し、けがをして帰ってきたそうです。私と同じく一度は兵隊に行きましたが、病気になって徴用で働いていました。

下の妹は「嘉代子桜」で知られる林嘉代子さんと同級生でした。嘉代子さんは学徒動員先の城山国民学校（現城山小）で原爆に遭って亡くなり、妹はたまたま休んで家にいて無事でした。戦後、お母

越中さんが寺の手伝いで供養に行く際に着ていた衣

さまの津恵さんを訪ねた時に、「あなたの妹は助かって良かった」と話されました。

嘉代子さんの自宅は桜町にあって、戦時中は桜馬場の別宅に疎開されていました。嘉代子さんの思い出の地に桜を植えて、それが嘉代子桜になったそうです。「嘉代子は桜が好きでした」とおっしゃっていましたね。

長崎に帰ってきてから、私は光源寺の庫裏2階で暮らすようになりました。本堂は傾いて、雨が降ったら中まで漏れてきました。本堂の中では傘を差して歩いていたんですよ。

2、3日したら、おやじからお寺を加勢せろって言われました。とにかく長崎は何もないからね、やることがない。公的なところの人は職があったと思うのよね。あなた方だったら何をする？当時は生活をするので精いっぱいでした。

龍谷大に行っていましたので、お坊さんの資格は持っていました。原爆からまだ1カ月たっていませんからね、近所の学校や川端などが焼き場になっていました。原爆だけでなく、病気で亡くなった人などをたくさん火葬していて、お寺にお経を上げてくれって来られるんです。

お坊さんも少なくなっていましたのでね、おやじ一人では間に合わないから、加勢しろということでした。家にあった紋付きをあわてて衣のように作り替えてもらって、それを軍服の上にはおって、父に連れられてお経を唱えにあちこちに行きました。

【掲載日】２０２０年4月15日（水）

⑰ 供養

風呂釜に積まれたお骨

長崎に帰ってまもなく、父の手伝いで市内各地でお経を上げるようになりました。深く印象に残っているのが、松尾さんという人に呼ばれて駒場町（現松山町）まで父と路面電車に乗ってお経を上げに行った時のことです。

もう大橋方面まで路面電車が通っていたので、復興が少し進んでいたころでしょうね。昭和22年になっていたのかな。爆心地からほど近い、電車を降りてすぐ右側の家でした。

行くとね、仮小屋のような家が立っていて、そこの庭のようなところに五右衛門風呂の釜が置いてありますす。その中にたくさんのお骨が積み上げてありました。おそらく、原爆で周囲が全部焼けてお骨が散らばってあるので、松尾さんらが拾われたんじゃないですか。

終戦間もない時期の長崎市松山町交差点付近における食料配給の様子　（長崎原爆資料館所蔵）

供養したいということでした。

原爆投下当時、松尾さんは三菱の工場にいて助かったそうです。帰ってきたら家族みんな死んでいたということでした。町内会長さんなど10人くらいが集まって、父がお経を上げました。終わったらカボチャをいただいて帰ったことを覚えています。

お坊さんの手伝いは1、2年続いたのだと思います。よかったのは、西山の木場とか矢の平、本河内方面に行くと、芋やなんか食べ物をくださるのよ。それがうれしかったです。「乞食《こじき》坊主」という言葉があるけど、全くその通りだったのよね。

戦後2年くらいはおなかがすきっぱなしでした。配給はお米に代わって、小麦粉や粟《あわ》などになっていたと思います。とにかく食べるものが何にもないのよ。お店屋さんはないし、野菜はない。カエルや虫を食べた記憶はありません。何を食べていたんでしょうね。混沌《こんとん》として、いつもふらふらしていました。

父親から、お寺の庭を畑にしなさいと言われて、成長の早い芋などを育てました。収穫できると家族で分けて、蒸して食べました。

昭和21年の春ごろ、幼少期に祖父母宅で子守をしてくれたねえやが、五島の有川にいて、「ご飯ば食べにきなさい」と呼んでくれました。長崎に物がないのを聞いて、心配してくれたんでしょうね。

【掲載日】2020年4月22日（水）

⑱　五島へ

米も魚もあって極楽

終戦翌年の昭和21年になると、幼少期にお世話になったねえやのいる五島・有川の太田に行きました。ねえやが心配して、長崎行きの漁船の人に、私が困っているようだったら呼ぶように言い付けたんでしょう。

田植えや芋の植え付けを加勢したりして、梅雨明けくらいまでいたんじゃないかな。田舎でお米もあるし、お魚は捕れるしね。極楽世界でしたよ。

その代わりにラジオなどがなくて、何か足らないと感じたんでしょう。これじゃいかんと思うて、また長崎へ帰ることにしました。お土産に芋の干したのをたくさんもらいましたよ。

太田から長崎行きの船がなかったんでしょうね。漁船で佐世保に

終戦後、親を亡くした子どもたちがいたという旧県庁の焼け跡
（長崎原爆資料館所蔵）

行って、そこから汽車に乗って帰りました。佐世保も空襲に遭っていました。駅舎はなく、仮駅みたいにしていました。駅前には闇市といいますか、市場がありました。まちなかには米国人がたくさんおりました。大きな荷物を担いで長崎に帰ってきて、家のもんに喜ばれました。

約3カ月ぶりの長崎の街は、だいぶ落着いて変わっているなと思いました。きれいに整理されているようでした。軍政府の指示でしょうね。

ただ、食料は依然なくて、今の市中心部の観光通りの辺りは闇市になっていました。いつからできたんでしょうね。警察も取り締まらないんですよ。われわれは闇市で買い物するお金がありませんでした。

昭和22年ごろまでは統制が付かなかった時代じゃないですか。まちには原爆で親を亡くした子どもたちがたくさんいて、県庁の燃え跡などの廃屋に入り込んでいました。

その年の4月、最初の参議院選挙がありました。隣の家の方で、伊良林の町内会長をしていた藤野繁雄さんが立候補するというので、町内会の青年団長だった私が加勢することになった。今考えると、そこから私の人生はまたガラッと変わっていくのよね。

【掲載日】2020年4月29日（水）

⑲ 軍政府

ニブロさんが「越中、カムヒア」

昭和22年4月の参議院選挙に隣の家の藤野繁雄さんが立候補することになりました。藤野さんが町内会の会長さんで、私がその青年団長でした。ご長男さんが中学の先輩だったり、寺の子どもで顔が利くということがあったりして、私が引っ張り出されたのよね。選挙運動で県下を回りました。田舎に行けばご飯が食べられるのよ。

とんとん拍子にいって、藤野さんが当選したのよね。それから私もぱっと有名になって、長崎市内の各青年団を組織することになると、連合青年団長に任命されました。

当時、日本は連合国軍総司令部（GHQ）が進駐して、長崎も軍政府の指導下にありました。本部は焼け残っていた出島町の税関にあって、司令官のデルノアさんは愛宕の官舎にお住まいだった。あ

長崎日日
初の参議院選擧開票
藤野氏が壓倒的優勢
本縣選出議員
郡市別得票數
最高は九割四分
女子有權者の棄權率
外相會議あす閉會
次回は七月招集か
投票所の火事で選擧を延期
ユーゴの要求で對立激化

越中さんが手伝った参議院選挙を伝える昭和22年４月21日の長崎日日新聞

の辺はデルノア通りというくらいで、日本人はある程度制限されていて、近寄りませんでした。

軍政府の社会教育の場が桜馬場の教育会館にありました。そこに責任者としておられた教育官がニブロさんという人でした。私が戦前から子ども会の活動などをしていた関係で通じ合ったんでしょうね。「越中、カムヒア」とか言ってよく呼ばれました。

アメリカ人の印象は私には良かったです。食べ物がなかったでしょ。アメリカ人と近くすれば食べ物に困ることはなかった。アメリカ人がたばこを吸ってぽんと捨てると、その吸い殻を拾って吸う人が多かったです。私も英語をしゃべればお菓子をもらえたので、ニブロさんに呼ばれると喜んで行きました。

向こうも好意的で半分英語をできる人を使いたかったんでしょうね。ニブロさんが日本人と交渉する時などに、すぐ来てくれと呼ばれました。お会いして話をするくらいで表向きしか知りませんでしたが、社交的な方だったことを覚えています。

教育会館では婦人会や少年の集まりなどが開かれて、ダンスやピアノなどもありました。市民との交流のようなことを担っていたのでしょうね。私はニブロさんからスクエアダンスを普及しなさいと言われました。グループで踊る体操みたいなものでした。

【掲載日】２０２０年５月６日（水）

⑳　子どもたち

無鉄砲、家を売って世話

進駐軍の教育官だったニブロさんと親しくなって、社会教育やボーイスカウトみたいなことを普及しろと言われました。戦前からそれまで個人個人で子ども会活動をしていたのを、まとまって統一してやりなさいということでした。

戦争から帰ってきてからも、「あら先生が帰ってきなった」と言って、近所の子どもたちが光源寺に集まってきていました。後に法務省の保護観察官として長崎市の出島町や上筑後町（現玉園町）に勤務するようになると、それぞれの地域でも子ども会を作りました。剣道や茶道の指導をしたり、海水浴に連れて行ったりして忙しかったです。

あの頃は向こう見ずだったんですね。とにかく夢中で子どもの世

子どもたちとの海水浴の様子。越中さんは右端
(光源寺提供)

話をしよった。母方の祖父母が、ある程度お金持ちだったから、子ども会に使うために家を2軒ばかりぽっと売ってしまって怒られたね。無鉄砲なことをしとったんですね。

戦争で親を亡くした子どももたくさんおりました。駅に食料を運んでご飯をあげたり、自宅に泊まらせたりしました。放っておけなかったんでしょうね。おやじから世話するのはよかけど自宅まで連れ込んだらいかんと何度も言われました。

昭和23年に、岩屋町に戦争孤児を集めて児童養護施設「向陽寮」ができると、手伝うようになりました。女性の寮長さんから「自分は専門じゃないから越中さん加勢して」って言われてね。

私は、子どものことは何でも詳しいっていうことになっていたんですね。若い頃は偉くなりたいのよ。大きな寮でした。50人くらいはいたでしょうね。子どもたちが下校してきてからの遊び相手をしていたと思います。大橋まで路面電車で行って、それから歩いて行っていました。

同じ頃、新しい祝日として「成人の日」が制定されて、昭和24年1月15日に初めて成人式が開かれることになりました。その実行委員長になって、前年から式典の準備をすることになった。当日は出島町の三菱会館に新成人が大勢集まりました。何を話したのか覚えていないけれど、もっともらしい演説をしたんですよ。

【掲載日】2020年5月13日（水）

㉑ 佐世保の少年院
おまえが一番適任と推薦

私と同じように長崎で戦前から子ども会活動をしている人がいました。裁判所の事務か何かをしていた福田稔さんです。

その人が私より10年くらい先輩で、浄安寺（長崎市寺町）の薬師堂を借りて薬師会という子ども会をされていました。戦後は進駐軍からボーイスカウトを普及させせろって言われて、それに立ち上がったのが福田さんと私でした。

そういう知り合いだったので、昭和23年に少年法が制定されて翌24年1月に佐世保に少年院ができると、福田さんが私を推薦してくれて法務教官として赴任することになりました。福田さんが裁判所の方でしょ、おまえが一番適任だということをおっしゃったんじゃないですか。

発足した頃の佐世保臨海寮の一寮。右側は教官室
（佐世保学園提供）

佐世保は当時、孤児がいっぱいでした。アメリカ人が多くて、食べ物があったからでしょうね。佐世保臨海寮（現佐世保学園）といって、旧海軍の火薬庫を改造して使いました。佐世保駅と早岐のあいなかの海岸にありました。

私は昭和24年3月から8月までそこで非行少年の教育に当たりました。なにかをして捕まった高校生くらいの子どもたちでした。寮に入った子どもは真面目になったですよ。保護されている、というのが大事だったんでしょうね。

私はその間、官舎みたいな借り屋におったようですね。佐世保駅前が市場になっていてあそこまで買い物に行きました。何だか皆さん親切だったことを覚えていますよ。長崎から子どもたちが会いに来てくれたこともありました。

寮長の大栗道船《どうせん》という人がね、「真面目なだけじゃいかん」といって、お酒を飲みに連れて行ってくれました。早岐の駅前辺りの飲み屋や、佐世保のにぎやかな方面ですね。ただ私は飲めないのよ。弱いんでしょうね。お金もないし。遊び方を勉強するのは長崎に帰ってからよね。

また法律が変わると、今度は長崎に保護観察所を作ることになって、昭和24年8月に県下最初の少年保護観察官に任命されてまた長崎に戻りました。上筑後町（現玉園町）に新しく庁舎ができるまでは、出島町にあった軍政府の隣の部屋を借りていました。

【掲載日】２０２０年5月20日（水）

㉒ 少年保護観察官

県内回り郷土史に触れる

半年くらい佐世保の少年院に勤めてから、急に少年保護観察官に任命するから長崎に帰ってこいと言われました。あのころは原爆で燃えて建物があまりないでしょ。今の出島町の税関の脇に別館があって、そこの部屋が空いているからそこを事務所にしてくれということでした。

所長は佐賀からお見えになった人でしたね。初めは保護観察官は私一人。他に事務員さんや裁判所を定年になった人が何人かおいでになっていました。

悪いことをして少年院に入って、しばらくして家に帰ってくる少年たちがいるでしょ。でもぽっとは職にも就けない。そういう子の保護のために指導や世話をしたり、対策を取ったりするのが仕事で

社会事業 功労四氏を表彰 長崎

社会教育法施行三周年を記念する長崎市社会事業功労者表彰式は十六日午後一時半から議会議場で開かれ、少年の町の建設者である市内今籠町長崎地方法務局会計課長福田稔(四〇)伊良林町少年保護観察所嘱託越中哲也(三〇)西泊町自治会副会長栗田清(四七)の三氏と公民館運動に尽力した矢ノ平町県教育委員鶴川保一氏(五七)にたいし鈴田助役からそれぞれ表彰状が贈られた

終つて懇談会に移り市内で最も不振である青少年団運動の育成について意見の交換があつた(写真は表彰式)

子ども育成活動などで越中さんが受けた長崎市社会事業功労者表彰を伝える昭和27年6月17日の長崎日日新聞。越中さんは写真左端

した。

問題のある子どもがたくさん来よったですよ。戦後は食べ物がない、家がない、職がない。世の中が乱れて、非行少年が社会問題になっていました。

でも私は法律家じゃありませんから、どうしたらいいか分からなかったのよ。だからともかくね、県内全部を回ってね、各町村に少年保護司を一人ずつ任命しなさいと言われたの。3～4年かかりました。

その頃は保護司といったら村の助役とかがなっていました。村の代表だったんじゃないかな。そういう人たちと子どもの家を訪問して、職業から教育から指導していました。

県内全部回るでしょ。例えば壱岐に行ったらすぐには帰れません。飛行機がないから。長崎から唐津に行って、唐津から船に乗って渡るんです。するとやっぱり船を待つのに1週間はおらないといけない。

滞在中、地元の歴史家にあらゆる話を聞きました。どこどこを見学しなさいとか、うちの村は正月には何を食べるとか、こういう祭りがあるとか、年中行事ですわね。聞いたことはノートに書いていきました。

壱岐では安国寺の服部先生や宮司さんの吉野先生、五島は七里哲章先生、平戸では志々岐神社の宮司さん、諫早では安勝寺のご住職、島原では宮崎康平先生とか、各地に有名な人がおられて。あの頃はお寺の住職や神社の宮司さんなど歴史家が多かったんですね。

それまで郷土史の本を読むことはあんまりなかったので、聞かせてもらう話は新しいことばかりでした。

【掲載日】２０２０年5月27日（水）

㉓ 県立図書館

勉強の方針教わる

少年保護観察官として3～4年かけて県内全部を回るうちに、各地のあらゆることを勉強しました。それが私が後で県の文化財委員とかになって生きてくるのよね。一番の基礎になりました。

保護観察所の庁舎が昭和26年に出島町から上筑後町（現玉園町）に移りました。近くの立山には県庁の仮庁舎があったり、他に県立図書館や知事官舎があったりして、終戦後のある時期はあの辺は官庁街だったんじゃないですか。

これが運命の始まりでした。職場が移転して、私の図書館通いが本格的に始まるのよね。とはいっても、原爆で焼け残っていた図書館には昭和23年ごろから、先輩方が集まっていました。私もほかに遊びに行くところがないのでね、図書館が唯一の集まれる場所でし

昭和26年に落成した長崎保護観察所旧庁舎
（長崎保護観察所提供）

た。

　後に同館長になる永島正一先生が兵隊から帰ってきておられて、渡辺庫輔先生、林源吉先生、島内八郎先生などが来ておられた。林先生も島内先生もご自宅が図書館の近くでした。大村に疎開した古賀十二郎先生も時々おいでになりました。

　集まるのは3階の資料室です。そこで1週間にいっぺんくらい、雑談をしていました。まだ昭和23年ごろはひもじいからね、どこどこの会に行けば芋がもらえるとか、骨董《こっとう》品が売れるとか、学問的な話ではなくて、茶話会よね。勉強をするようになるのは、昭和25、26年じゃないの。

　図書館で私に勉強の方針を教えたのが永島先生でした。おまえ勉強するならね、図書館の中に三つの集まりがあるからね、それぞれに入って指導を受けなさいと言われました。私より10歳くらい年上でした。私が生意気だったんでしょう。勉強しなさいということでした。三つの会というのは、戦前からあった長崎史談会と、その頃新しく発足した長崎学会、長崎キリシタン文化研究会です。

この三つを融和していたのが永島先生でした。これで私の進む方向が決まりました。永島先生のおかげですね。

【掲載日】２０２０年6月3日（水）

㉔ 長崎史談会

機関誌「長崎談叢」を再刊

終戦後、県立図書館であった郷土史家の集まりは座談会みたいなものですよね。自分の気に入った先生のところに話を聞きに行くわけです。何曜日に来なさいとかあって、好きずきに集まっていました。そのうちの長崎史談会は昭和3年6月にできました。大正の中ごろから長崎市史の編さんが古賀十二郎先生を中心に行われて、郷土史研究の熱が急速に盛り上がるのよね。

木曜の夜に図書館の館長室に集まる12人のグループがあって、歴史談議を戦わせていたそうです。林源吉先生、渡辺庫輔先生、神代祇彦先生などですね。そこに古賀十二郎先生、武藤長蔵先生らが顧問としておられた。史談会結成に先立って機関誌「長崎談叢」が同年5月に創刊しています。

初期の「長崎史談会々員写真」
(県立長崎図書館所蔵)

戦争で発刊を中断していた「長崎談叢」は、昭和24年に35輯《しゅう》が発刊して再開しています。史談会の活動もそのころまた始まったのよね。当時会員は30~40人ほどだったと思います。普通には会員になれません。ある程度教養がないとなかなか入れなかった。

偉い先生ばかりおって、話してておられました。私は末席にいて、話を聞いて帰ります。私みたいな若い者は話ができないんですよね。大学の先生とかお医者さんとか格式のある人ばかりでした。

資金面は印刷会社・藤木博英社の藤木喜平さんが全部お金を出してくれました。浜屋やグランドホテルを経営しておられました。当時の史談会の幹部っていったら、お遊びの好きな教養のある人たちでした。他に正木慶文先生、林源吉先生、島内八郎先生とかね。

「長崎談叢」という本は当時長崎の学術研究の代表的な出版物で、全国的にも有名でした。長崎大に文学部がなかったですからね。唯一の文化書だったんでしょうね。

「長崎談叢」に原稿が載るということは、長崎の文化研究の第一人者だということで、中央からも原稿が集まっていました。

せっかく書いても、先生方がこれはいかんと言って、載せてもらえない原稿がいっぱいありました。

【掲載日】２０２０年6月10日（水）

㉕ 長崎学会

郷土の文化向上に意欲

長崎史談会が戦後復活したころ、県立図書館で新たに長崎学会という集まりができました。古賀十二郎先生を中心に渡辺庫輔先生、永島正一先生、県立女子短大の野崎辰己学長といった4、5人のグループでした。

実は渡辺先生が史談会と合わなかったのよ。史談会は古くさいと言ってね。お遊び好きで戦前の文化的な名残が残っていた史談会と違って、長崎学会は非常にきまじめな集まりでした。「新しい学会を」という意欲があったんですね。

史談会とは感覚の相違だったのだと思います。

会則には、「本会は文化各般の研究家を以て組織し、郷土の文化の向上発展に寄与するを以て目的とする」とありました。

古賀十二郎氏

スポンサーは増田石油の社長だった増田高彦さんでした。今の心田庵《しんでんあん》（片淵2丁目）を別荘として持っておられて、図書館でも集まりましたが、心田庵にも遊びに来んかと呼ばれて集まるようになりました。土曜の夕方なんかに、お酒やお菓子を出してもらってね。

古賀先生は戦時中に大村へ疎開されていたので、時々おいでになりました。昭和初年ごろから盛り上がった郷土史研究の中心には古賀先生がいつもおられました。もともとは現五島町にあった黒田藩長崎屋敷の御用達を務めた豪商が古賀家でね。お金持ちさんでした。明治12年生まれ。東京外国語学校（現東京外大）を出られて、外国から見た長崎というのを中心に研究されました。

古賀先生には多くの名著がありますが、そのなかでは『長崎と海外文化』（大正15年、長崎市役所刊）を挙げたいです。この本が、古賀先生を中心にした長崎学の重要な出発点になったと思います。

昼間は眠り、夜に周囲が静まってから勉強をされていたそうです。長崎史の研究に生涯を捧《ささ》げ、晩年は貧しくしておられました。戦後私がお会いした時は、もうおじいちゃんで、怖そうな人でしたね。

昭和29年に亡くなって、長崎で葬儀がありました。息子さんの奥さんが「越中さん、伝記を書いてくれん」と言いなって、後で長崎史談会の「長崎談叢」に「古賀十二郎先生小伝」をまとめました。

【掲載日】2020年6月17日（水）

㉖ 芥川龍之介、菊池寛らと交流

永見徳太郎

古賀十二郎先生が昭和29年に亡くなってから、長崎学会は同年に郷土史家の渡辺庫輔先生や県立図書館の永島正一先生を中心に再編成され、地方史研究の本を出版しました。学術的に言ったら長崎学会の気持ちを現在に継いでいるのが、出版社の長崎文献社だと思いますね。

渡辺先生は五島町にあった大きなお菓子屋さんの息子でした。古賀先生の実家とお向かい同士で、初めは裕福だったんですね。私が戦後、渡辺先生の元に通うようになってからは、丸山の料亭青柳の下の建物2階に自宅を借りておられました。2部屋しかありませんでした。渡辺先生が若い頃に出入りしていたのが、銅座町の永見徳太郎先生です。

永見徳太郎氏

永見家はもともと金融業などをして、大金持ちでした。永見先生はお父さまの跡を継がないで、美術や文学といったあらゆる文化的なことをされた人です。竹久夢二や芥川龍之介、菊池寛ら中央の文人が長崎に来ると、必ず永見先生の家に来られました。永見先生は古賀先生ともお友達でした。

寺町の長照寺にお墓があります。

【掲載日】２０２０年６月24日（水）

㉗　渡辺庫輔

いつも和服の「よか男」

郷土史家の渡辺庫輔《くらすけ》先生は若いころ、銅座町の永見徳太郎先生の所に出入りしていた関係で、芥川龍之介の門に入っておられました。渡辺先生から芥川先生の話はいろいろ聞きましたけどね、覚えてないのよ。何年か東京にいらっしゃったそうです。

渡辺先生は、歴史の分野では古賀十二郎先生の門下でした。若い頃はお遊びが好きな方でね。終戦後、長崎に有名人がおいでになるときは渡辺先生に連絡があって、あちこちに行かれておられたですね。私も「話を聞いておきなさい」と言って呼んでもらいました。

古賀先生が引退されて、昭和25年ごろから長崎が復興するでしょ。その頃の長崎を代表する学者といえば私は渡辺先生だったと思います。外国語の資料から長崎を研究された古賀先生に対して、渡辺先

渡辺庫輔氏
（長崎歴史文化博物館所蔵）

生は長崎聖堂とか、長崎にある史料を中心にした郷土史をされました。

自宅を訪ねるといつも机に向かって何か書いておられました。文章家でね。私は歴史のことはすべて、渡辺先生から聞きました。勉強のしかたをね。「これとこれを読んでこい」と言って、読んだら「分かったか」という教え方です。

私が何か原稿を頼まれたときには、書いたものを渡辺先生のところにこれでいいですかって、見せに行っていました。間違えていたら、ここが違うと添削される。いちいち教えてもらうんじゃなくて、自分で何でもしてみなさいという教えでした。

渡辺先生の親戚と私の父が知り合いだったのもあって、渡辺先生からすれば弟子と思われたんじゃないですか。ちゃんと勉強しなさいという気持ちがあったんじゃないですかね。何かあると「越中君来なさい」と呼んでくれました。

昭和38年に亡くなるまで、ずっとご一緒させてもらいました。洋服を持たない人で、いつも和服でした。渡辺先生をもって、昔の長崎の文人はいなくなったように思います。「長崎のよか男」ですね。渡辺先生からはお遊びについてもよく教えてもらいました。

【掲載日】2020年7月8日（水）

㉘ お遊び
料亭で食べたらいかん

渡辺庫輔先生など郷土史の先輩方には勉強だけでなくお遊びも教えてもらって、料亭などに連れて行ってもらいました。お金がないですからね、私が行けるようなところじゃないんですよ。昭和24、25年ごろからじゃないでしょうかね。

先輩方から紹介してもらった人のなかに料亭・花月の本田寅之助さんがいました。本田さんは戦後、花月を史跡料亭として盛り上げた方です。戦前は丸山のお世話方でした。

終戦の年には長崎くんちの奉納踊りをお世話されたそうです。私はその年は見に行きませんでしたが、昭和22、23年ごろに見に行ったと思います。まちにざわめきがありましたからね。おくんちやけん、何かなかやろうかって出掛けました。

本田さんは花月を文化的な料亭として特色を出そうとされました。そこに渡辺先生など先輩方がお知恵をお貸しになって加勢されました。花月の方に行かないと一流の文化人にはなれませんでした。「春雨にしっぽり濡るる鶯の」という有名な端唄《はうた》「春雨」がありますね。花月を訪れた小城藩士の柴田花守が作詞したといわれています。花守をしのんで、渡辺先生を中心に小城まで旅行にも行きました。私はお酒が飲めるからついて行ったようです。

他に思い出に残っている料亭は現万屋町《よろずやまち》にあった菊本ですね。そこも長崎の文化人がお集まりになっていました。芥川龍之介の描いた河童屏風《かっぱびょうぶ》があって、それを見せてもらいに全国からお客さんが来ていました。

本田さんや渡辺先生には教養ある遊びというのを教えてもらいました。お料理屋に行っても、食べたらいかんって怒られよったですよ。こっちは食べたいのにね。

座って文学的な話を聞いたり、芸妓《げいこ》衆を呼んで長唄をしたりお琴

本田寅之助さん

を聞いたりしてね。短歌や俳句ができてとか。勉強しながら遊ぶんですね。日本風の遊び。今では考えられないような遊びがありました。

しかし売春防止法で丸山はころっと変わります。昭和33年3月の最後の日にお別れ会をしたのよね。午後8時ごろに思案橋に当時あった時計店に集まって、そこから丸山をひと回りしたの。長崎の有名人がみんな集まって、行きつけの店とかに寄って、あいさつして回りました。

【掲載日】2020年7月15日(水)

㉙ 若宮稲荷神社

怖くて震えた竹ン芸

戦後、私が長崎市伊良林地区の青年団長だった関係で、若宮稲荷神社（伊良林2丁目）の復興を加勢しました。当時の宮司の松尾君が後輩でね。秋の大祭のアピールになにか考えてほしいということでした。

お酒の樽《たる》を積んだ「樽みこし」っていうのがあるんですって。若宮神社には当時みこしがありませんでしたから、先輩から助言されて、酒屋さんからもらった樽を2、3個積んでみこしにしました。

そして昭和23年の祭り当日にそれを担いで、20人くらいで市内を回ったの。初めは町内から一軒一軒、回れるだけ回れって言ってね。そうするとみんなお金を包んでくれるんですよ。真っ暗になるまで歩きよりました。

若宮稲荷神社の竹ン芸の様子
（昭和28年10月15日付の長崎日日新聞）

秋の大祭で奉納する竹ン芸の復興にも思い出があります。戦前は下川軍一さんという名人がいましたが、原爆で亡くなられました。お囃子《はやし》に合わせて芸をしますからね、三味線を弾くおばあちゃんがまだ生きとんなって、あの人なら知ってるやろうって話を聞きにいきました。

そうするとね、おばあちゃんが笛と太鼓もありますよっておっしゃるんです。調べると、東長崎の中尾地区の人たちが竹ン芸の囃子をされていたことが分かったので、加勢してくれませんかと頼みに行きました。

練習にも付き合いましたね。登り手は誰かおらんかってなって、近所の草野君っていう若者が「僕が登ろうか」って言ってくれました。練習場所は光源寺の庭で、危ないから最初は短い竹を使いました。

戦前のことを覚えているお囃子の人たちがああだこうだと指導するのを、見よう見まねで練習していましたね。初めは登るだけで精いっぱいだったのよ。指示されるだけだと分からないから、「俺がして見すっけん」って言って私も登ったんですよ。そしたら怖くて震えるやなかね。こまい竹よ。ぱたって落ちて、こりゃいかんと思ってやめました。

最初のころは草野君がやっていましたが、数年して後藤泰一郎さんが後を引き受けて、若い人を集めて指導されました。われわれが竹ン芸を復活しますって自慢話をしたもんだから、見物の人もいっぱい来ました。

【掲載日】２０２０年7月22日（水）

㉚片岡弥吉

夜、静かに浦上を歩く

兵隊から帰ってきてから、私は大学を卒業したとやろうか、それとも卒業しとらんとやろうかと思っていたので、終戦翌年、龍谷大にまた通わないといけないのでしょうかって問い合わせをしました。

そしたらね、学徒動員令で在学中に兵隊に行った人は卒業と認めるということで、卒業証書が送られてきました。国が従軍を在学と見なすというわけ。私は大学2年で兵隊に行ったので、実際は大学で何もしてないのよね。

国の方針だから自分の好きなようにはできませんでした。すべてがね。何のために大学に行ったのかということよね。それが戦後、勉強せないかんという気持ちになったのだと思います。なんか半端だったもんね。

戦後、県立図書館に通うようになってお会いした先輩方の一人に、片岡弥吉《かたおかやきち》先生がおられました。片岡先生は当時すでにキリシタン研究家として有名でした。

私より14、15年くらい先輩でした。非常にまじめな方で、お酒はほとんど飲まれなかった。私の知っている範囲ではお勉強以外のことはあんまりお話しにならなかったようです。

私がいつもかしこまってお話の相手をするので、先生の方が気を使われて、親しみある長崎弁で話をしてくださいました。私もまじめだったんでしょうねえ。私が酒の飲み過ぎで入院している時に、見舞いに来てくださったことがありました。先生が夜によく浦上を歩いているというお話を、病室で聞いたのを今でも覚えています。寒い日はトンビを着て、警察に注意されたこともあったそうです。「夜、静かに歩くことで執筆に疲れた気分が静まり、次の構想が湧いてくるのです」というお話でした。

片岡弥吉氏

片岡先生のご紹介で、昭和37年に開館した日本二十六聖人記念館の初代館長、結城了悟神父に出会いました。私は「パチェコ神父」と呼んでいましたね。

初めはスペイン出身のパチェコ神父に長崎弁を教えてほしいということだったと思います。片岡先生とパチェコ神父、大変まじめなお二人と親しくなったことが、私の新しい方向付けになりました。

【掲載日】２０２０年7月29日（水）

㉛　パチェコ神父

同い年の生涯のお友達

キリシタン研究者の片岡弥吉先生から紹介されてお会いした日本二十六聖人記念館初代館長のパチェコ神父は、生涯のお友達になりました。

スペイン出身のパチェコ神父が長崎に来て、日本語を勉強したかったんでしょう。片岡先生が自分は浦上だからね長崎の標準語をしゃべる越中のところに行きなさいと言われたんじゃないですか。「私の日本語があまり上手じゃないのはおまえが教えたからだ」といつもおっしゃっていました。同い年でしたからね。気が合ったんでしょう。お正月には必ず私の自宅においでになっとった。何かあるといつもご一緒していました。

非常にまじめなお方で、ぜいたくを絶対になさらなかったですね。

ディエゴ・パチェコ神父

歴史を勉強するのがお好きでした。どこどこに行って見学するというのがお好きで、研究のためならどこにでも行かれました。県内はしょっちゅう、一緒に来いと呼ばれましたね。

島原のキリシタン遺跡を見に行って原城近くに泊まっていた時、私の家から電話がかかってきました。私の一番下の娘が生まれたという連絡でした。これからゆっくり飲もうとしていたんですけどね、パチェコ神父が「早う帰んなさい」と言って、洗礼名をつけてくださいました。

昭和53年に帰化される時には、片岡先生と私が身元保証人になりました。名前も結城《ゆうき》了悟《りょうご》に改名して。日本で布教するなら日本の人になって、日本のために尽くそうというお気持ちだったと思います。

東京にキリシタン文化研究会という有名な学会があって、その長崎支部として「長崎キリシタン文化研究会」を片岡先生とパチェコ神父と私で作りました。片岡先生を大将にしてね。

パチェコ神父はキリスト教はいかにして長崎で広まったのかということを、たくさん本にお書きになりました。ポルトガル語やスペイン語で書かれた長崎に関する文献の収集にも熱心でしたね。

私が戦後、ヨーロッパなどの海外に行くようになったのは、パチェコ神父の助言があったからでした。

【掲載日】 2020年8月5日（水）

㉜ 海外

パチェコ神父とヨーロッパ旅行

日本二十六聖人記念館のパチェコ神父から、長崎の歴史を研究するならね、まずポルトガルに行ってゆっくり、ゆっくり歩いてきなさいと言われました。

昭和30年代でしょうね。オランダで飛行機を乗り換えてポルトガルに行きました。教会など長崎の歴史に関するところを回りました。遊びではなく、勉強で行くからきつかったですよ。

ポルトガルでは長崎の人へ親しみがあると感じました。まちで焼いているお魚が長崎で食べていたイワシだったりしてね。お友達って感じを受けました。

向こうの人はちゃんとした教育を受けていて、日本人はかわいそうだと思いました。日本はまだ戦後でしたからね、ヨーロッパとは

（右から）パチェコ神父、越中さん、元十八銀行頭取の清島省三さん
（日本二十六聖人記念館提供）

違うなと思って見ていました。　昭和28、29年頃から新聞に原稿を書くようになっていましたから、原稿料をためては毎年海外に行くようになりました。ヨーロッパは5回、中国には27回くらい行きました。

パチェコ神父とも海外に行きました。実家のあるスペインなどを案内してくれるというので、長崎から10人くらいで行きましたね。しかし、フランスでパリに向かう直前くらいに、パチェコ神父が実家に帰らないといけなくなったと言うのです。それで急きょ、私が案内役を任されてしまいました。

フランスからイギリスへ船で渡れるんですね。その乗船予約が必要だったようなんですが、よく分かりませんから、空いている席に

「おまえここ」「おまえはそこ」とみんなを座らせました。するとその座席を予約していた外国人が来るんです。みんなには「外国はこういう所だ」とか何とか言って、イギリスに着くまで立っていてもらいました。

スペインに着いたら、パチェコ神父が迎えに来てくれました。パチェコ神父のきょうだいへお土産として日本から浴衣を3着持ってきていましたが、実家には子どもたちがたくさんいました。パチェコ神父は浴衣をビリビリ破いて、その端切れを子どもたちにあげると喜ばれました。

スペインではパチェコ神父がザビエルゆかりの地などを案内してくれましたが、私は初日にお酒を飲み過ぎて具合が悪くなって、3日間寝ていました。あっちのお酒は強いんですね。

【掲載日】2020年8月12日（水）

㉝ 市職員に

長崎を国際文化都市へ

昭和24年に「長崎国際文化都市建設法」が公布されて、長崎市の方向性がぱっと変わったように思います。文化都市として長崎のまちを復興しようとしたんでしょう。

それから爆心地周辺が整備されて、昭和30年には平和祈念像や国際文化会館ができました。今までの食べ物がなかった時代から、文化的なもの、国際的なものに目を向けようとなったんでしょうね。明るい感じがしました。

保護観察官として働く傍ら、その頃には3日にいっぺんくらい、新聞に郷土史のことなどを書いておりました。長崎民友新聞の西岡ハルさんや毎日新聞の記者が知り合いでしたから、「しっかり勉強せんば」って怒られて、「おまえ書け」と言われるので書きだした

平和祈念像の除幕式の様子
（昭和30年８月９日の長崎日日新聞より）

のよね。それで若手の郷土史研究の代表みたいに思われたんでしょう。昭和30年、教育長や先輩方から市職員として「帰ってこい」と言われて、長崎市教育委員会の職員になりました。

長崎を観光地にするから手伝えということでした。歴史のことをする若い人が他にあんまりおらなかったんでしょうね。私も裁判所の仕事ではなくて、これからは文化的なことを引き受けてせないかんなという気がしていました。給料は安かったですが、迷いはありませんでした。

初めは市教委社会教育課で勤務しました。社会教育担当として表向きは青少年教育関係のことをしていましたが、文化財担当の山口光臣先生の加勢をしていたと思います。山口先生のことは後でお話ししますが、長崎の文化財を語る上で絶対に忘れてはいけない人よね。

昭和33年からは市立博物館に勤務することになりました。急に学芸員の資格をとらんばと言われて、東京の上野まで試験を受けに行きました。学芸員なんて何がなんやら分からないから勉強もへったくれもない。

困って、東京国立博物館に行ったのよ。するとそこの職員さんが長崎に関係があったんでしょうね。これを勉強しなさいと言って本をもらったようでした。今考えると博物館法の本だったと思います。

試験には各県から20人くらい来ていましたかね。朝試験があって、夕方には発表でした。そして見事に落っちゃけたのよね。

【掲載日】２０２０年8月19日（水）

㉞ 長崎市立博物館

戦争末期、資料は勝山小に

長崎市立博物館で勤務することになって、学芸員の試験を東京まで受けに行きました。試験当日に結果が出て、落っちゃけていたのよね。私だけじゃなくて、試験を受けた人みんな落ちたんじゃないですか。当時の文部省とわれわれの間で、博物館への考えが違ったようです。

でも長崎に帰ってきたら、学芸員資格を与えるという書類が届いてきました。どういうことだったのでしょうね。博物館勤務になったのが昭和33年ですから、35、36歳ごろのことです。

市立博物館の前身は、明治30年にできた「長崎商品陳列所」です。現在の日銀長崎支店（炉粕町）の所に立派な建物がありましたよ。いろいろなものを並べていたそうです。商品ですからね。お魚

林源吉さん

なんかもあったそうですよ。その後、商工奨励館を経て昭和16年に市立博物館として開館しました。そこで美術品などの整理や管理をされたのが林源吉先生です。市の職員でした。

戦争末期には建物を憲兵隊に占領され、捨てられそうになっていた資料を林先生が勝山小の地下室か何かに持っていって保管したそうです。その時のはっきりした目録はありませんが、捨てないで良かったと戦後おっしゃっていた貴重なものもありました。

戦争が終わり、落ち着いてきた昭和23年、市が馬町の大きな個人の家をもらって博物館を移転しました。林先生が「博物館とはこういうものだ」と言って、歌人の島内八郎先生と一緒に勝山小から資料を取り出して並べました。

それから昭和30年に平野町に国際文化会館ができると、その3・4階に移転しました。馬町の建物はその後、旧市長公舎として長く使われて、現在は国の登録有形文化財になっています。
私が同博物館勤務になってからは、林先生と島内先生の助手みたいにして働きました。林先生も島内先生も定年を過ぎていましたが、嘱託のようにして働かれておられました。

【掲載日】2020年8月26日（水）

㉟ ２人の先輩

原爆資料を移して整理

長崎市立博物館で勤務するようになって、私は先輩の林源吉先生と島内八郎先生の下で助手のようにして働きました。お二人とは戦後通っていた県立図書館の郷土史家の集まりでもお会いしていました。

昭和30年に開館した平野町の国際文化会館は中が空っぽですからね、初めは3・4階に市立博物館、5階に原爆資料館が入りました。原爆資料はそれまで、現在の爆心地公園のところに小さな建物があって、そこに焦げた着物などいろいろなものが集めてありました。当時は六角堂と呼んでいました。それを国際文化会館に移したのよね。

主に市立博物館を林先生が、原爆資料館を島内先生が整理されて

島内八郎さん

いたと思います。お二人が中心で、私はそのころ何をしていたのかあまり覚えていません。

林先生は明治16年、鍛治屋町の大きな家具店のお生まれでした。独学で勉強されたそうです。郷土史では特に、陶磁器にお詳しかった。長崎史談会の談叢などにたくさん書かれていますよ。お遊びも上手で、三味線からお唄から何でもお上手でした。ただ私には厳しかったんですよ。遊んでばっかりおったらいかんという気持ちがあったんじゃないでしょうか。

島内先生は明治30年生まれで、中学の先輩でした。有名な歌人で、師匠は柳川の北原白秋だったでしょ。お母さまが光源寺の檀家《だんか》ということもあって、何かにつけて私に勉強しなさい、勉強しなさいと言われていました。背の高い方でした。

思い出すのはね、博物館にお勤めしていた時よね、雨の日でした。先生がズボンを着ていないとさ。「あら、先生、ズボンは？」と言ったら、「おお」と言って家に電話をかけてね。奥さまがズボンを持ってこられました。

びっくりしましたけど、そういう人だった。短歌に夢中になってね。頭は短歌ばかりでしたよ。短冊にさらさらと短歌を書いている姿を覚えています。書もお上手だった。長崎を代表する歌人でした。

【掲載日】２０２０年9月2日（水）

㊱ 資料について

あまりにもありすぎた

長崎市立博物館では先輩の林源吉先生や島内八郎先生の下で、資料整理をしていたのが印象に残っています。文化財を専門的に扱うようになったんですね。主に美術工芸品ですね。古文書もありましたが、初めは古文書も読み切らんかったのよ。

市の職員になる前、県立図書館に通っていたときから「読めんというのがあるか」と怒られて、教えてもらいました。昔は古文書を読めることが常識で、読めない方がおかしかった。島内先生や渡辺庫輔先生などから手ほどきを受けました。読めるようになっても初めは意味がよく分からなかったのよね。

資料収集も最初は先輩方の助手として働きました。市内の古美術商の人たちに協力してもらうことが多かったです。お金持ちさんが

1985年の市文化財審議会の様子

美術品を林先生などの先輩方に持ってくることもありました。昭和30年代ですね。

市に掛け合って、予算で買っていいというのを買うんですね。予算の都合がつかない物は、私のお金でも買っていました。なんとかして1点でも残したいと思っていました。

長崎には歴史的に大事な物があまりにもありすぎたんです。当時はみんな大した物ではないと思ってますからね。終戦後に本とか古文書なんて持っていて何になる？　ぽんぽん捨てられていました。ホグって言いますけどね、便所紙にしたのよ。今の人の感覚とは違うんですね。

ある時、博物館に展示する資料を市内の収集家に借用に行ったことがありました。美術品の入った木箱のひもを片手で下げて立ち上がると、その人が「美術品を私はいつも先人からお預かりしている物と思って、できるだけ大事に取り扱い、後世の人にお渡ししたいと思っています」と言われました。その言葉を覚えていて、それからはたとえ軽くても必ず両手で持つようにしましたね。

昭和34（1959）年には県文化財専門委員に、昭和51（1976）年には市の文化財審議委員になりました。座長の外山三郎先生はいつも「文化財の委員は書物で読んだことを実見し、物に接し、土地の人の話を聞き、経験を積まねばならない。越中君のような若い委員はできるだけ県下を探訪しなさい」とおっしゃっていました。

【掲載日】2020年9月9日（水）

㊲　出島

発掘の手伝いで遊びに

私が長崎市の職員になるのと同じくらいの時期に、国史跡の出島の復元整備事業が進められていました。担当としておられたのが、市教委社会教育課職員の山口光臣《やまぐちみつおみ》先生です。

山口先生との出会いは昭和24、25年ごろでしょうね。私がまだ保護観察所に勤めていたころ、当時は出島町に職場があったものだから、出島で発掘しよるねって、遊びにいったのが始まりです。

珍しい物があれば持って帰ろうかってね。それからお手伝いするようになって、何かあるとあっちに来い、こっちに来いって言われて加勢しに行っていました。

出島は大正期から名前だけは史跡でしたが、中は個人のお店や倉庫、病院やなんかが入っていました。終戦後どうしたわけか、市が

当時のオランダ文化庁長官らに出島の復元計画について
説明する越中さん（中央）＝1977年2月

その一部の旧石倉を買って、復元しようということになったんです。それで史跡らしくせないかんといって、山口先生がおいでになったの。

山口先生は私より10年くらい先輩でした。兵隊から戻られて、どこかの学校で先生をするつもりだったんじゃないですかね。熊本の大学を出た、建築の専門家だったんですね。

旧石倉は壊れていて、倒壊寸前でした。山口先生はその脇に仮小屋を造って、そこに奥さまと仮住まいされて復元に取り組まれた記憶があります。子どもさんも生まれてね。休みなく働かれていた。熱心なお方でした。私が結婚する時、家内を世話してくれたのは山口先生だったのよ。

初めは旧石倉だけでしたが、市の方で出島の扇形を取り戻したいと、その後も買収を進めていきました。山口先生も、出島を部分的にではなく全部買い戻さないかんとおっしゃっていました。大きな病院や倉庫、長崎新聞社などがありましたが理解してくださって、譲ってあげようかとおっしゃいました。

そのなかでも昭和43年に買収された旧長崎内外クラブは全面修復され、同50年には市立博物館が入りました。当時私は同館長になっていましたので、同56年の定年もそこで迎えるのよね。

【掲載日】２０２０年9月16日（水）

㊳ 洋館

長崎では当たり前

長崎市の国史跡・出島で旧石倉の復元などを手掛けた長崎市教委職員の山口光臣先生は、他にも中島川の石橋群や唐寺、洋風建築など、長崎の文化財を次々に整備されました。原爆でいろいろなものが壊れていて、復興するというのもあったのでしょう。

本当に縁の下の力持ちっていうかね、忘れてはいけない人よね。あまり表には出ない方で、『長崎の洋風建築』（１９６７年）という研究書が一冊あるだけです。東京から来た文部省の森博士の指示で研究されていたんじゃないかな。山口先生も後に工学博士になられました。

昭和30年代から観光がはやってきて、長崎でも観光資源として文化財を大切にしようという時代になりました。明治期など近代に建

洋風建築が建ち並ぶ長崎市南山手町
＝1988年２月

てられた洋館が市内にたくさんありましたね。それが当たり前の風景で、大浦、山手方面は全部そうでした。

しかし洋館といっても多くは木造で、保存が難しい。長崎の人やったら当時、洋風建築って珍しくないですからね。それが観光になるとは思っていなかった。住むには電気工事など全部やらないといけないですから、空き家になったのも多かったですよ。

そこで何を保存するのかを決めるのが、山口先生ら市教委の文化財係の仕事だったのだと思います。旧グラバー邸とか代表的なものですね。

グラバー邸は昭和32年に三菱長崎造船所から市へ寄贈されました。建物の保存は山口先生が担当しました。寄贈された時、中はからっぽでしたから、「おまえ何とかせろ」となって、展示物を集めたような記憶があります。

街の個人宅から「うちに面白いものがあるよ」って教えてもらって、旧居留地の外国人の子孫から譲られたという家具やピアノなどをもらってきました。その頃は郷土史の先輩方もまだご存命でしたから、指示されるようにそれらを置いた記憶があります。

昭和33年に有料観光施設として一般公開が始まり、同36年に国重要文化財に指定、同49年にはグラバー園が開園しました。

近くに国宝の大浦天主堂がありますね。あそこまでは見に行く人はいるけど、グラバー邸はそこから少し上がったところにあります。坂道の問題もあって、当初はここまで本当に観光客が来るやろうかって思っていました。

【掲載日】2020年9月23日（水）

㊴ グラバー邸

関係ない〝お蝶夫人の家〟

旧グラバー邸を整備するようになった当初は、あんなににぎやかになるとは思っていませんでした。よく覚えていませんけどね、「お蝶夫人の家」と言ってね、それが当たったのよ。

昭和30年代、観光に来るのは外国人が多かったです。長崎を舞台にしたオペラ「マダム・バタフライ」が世界的に有名でしたから、その主人公のお蝶夫人がグラバー邸にいたということにしたら良いんじゃないかと、誰かが言い出したんです。

当時はグラバーさんのことはそれほど有名ではありませんでした。観光振興のため、「ロマン」を優先して史実でないことを言うたんですね。

このことは郷土史家の先生たちの間でも論争になって、渡辺庫輔

グラバー園の落成式の様子＝1974年
（グラバー園提供）

先生などは「うそ言うたらいかん」と怒っていました。私も市教委の職員で宣伝する立場でしたので、「グラバーとお蝶夫人は関係ないじゃないか」と市民の方から怒られました。それでもあんなに人が来て、うれしかったですよ。

　市はその後グラバー邸だけでなく、旧リンガー邸や旧オルト邸なども購入していきました。市教委の山口光臣先生から「越中、どれが一番古いか」と聞かれて、研究した記憶があります。

　山口先生は建築の専門家でしたから、歴史的なことはおまえが調べろと言われていました。一方、崇福寺など唐寺《とうでら》については、宮田《みやた》安《やすし》先生が「僕が研究する」と言って熱心でした。中学の先輩で私より10年くらい上でした。「おまえに任せておられん」と言われてね。

宮田先生はそれまではお酒がお好きだったのですが、研究を始めると急転して、人が変わってしまったように没頭されました。唐通事の家系やその功績を明らかにして、黄檗《おうばく》文化研究の第一人者になられました。

宮田先生のことで覚えているのは若いころ、林源吉先生や渡辺先生を中心に毎年研究旅行に出掛けていたんですね。宮田先生がいつも私たちの乗る汽車の時間を指示されるのですが、その時間が毎度間違っていました。

どうしてか尋ねると、「1年前の時刻表が手元にあったからそれを使った」と言われます。そして、「1時間も待っていれば、次の汽車がくるから大したことではない」とおっしゃっていました。

【掲載日】２０２０年9月30日（水）

⑩ 解説者

くんちや精霊流し　難しさも

今年は長崎くんちの奉納踊りなどが中止とのことで、とても寂しく思います。私も子どもの時は踊町の新大工町に住んでいたので出たことがあるんですよ。　町内の子どもらは出ないといけなかったんですね。旗を持って出たような記憶があります。

6月に稽古が始まって、厳しかったですよ。軍隊のようだった。庭見せは派手でしたね。近くであっていたら、ねえやと見に行っていました。街の大きなお屋敷の庭がきれかったのを覚えています。

くんちの時、踊町の大人は山高帽をかぶります。うちもおじいさんが買ったんでしょう、ロンドン製のものがありました。それを持っているのが自慢だったんですね。

戦後は伊良林に家が移っていたので、伊良林がみこし持ちに当たった年は世話方として加勢しました。解説でも関わりましたね。

昭和30年の長崎くんち

昭和30年代に、解説をしなさいと頼まれました。詳しいわけではありませんでしたが、せろって言われると断れません。

初めのころは林源吉先生や島内八郎先生が私の両脇に控えておられて、解説している横で「おまえの言うことは間違ってる」などと指摘されました。何も解説中に言わなくていいのにね。明治生まれの先輩方と大正生まれのわれわれとではくんちへの意識が違いました。今のくんちもまたすっかり変わりましたね。

テレビの解説も同じころに始まって、県立図書館の永島正一先生が名解説を続けられました。

同じテレビ解説でも、精霊流しは難しいんですよ。以前は生中継でしたから、どこの船が来るか分からないのに話を合わせていかないといけないでしょう。事前に準備もできません。この船はつまらんですねなんて言われませんしね。博物館に勤めていた関係で、いろいろな人と知り合いだったから、なんとかやっていたんですよ。

精霊流しはだんだんとにぎやかになりました。戦前の精霊流しは今よりも寂しかった。今のように車付きではなくて、担いでゆっくりゆっくり来ていました。しめやかに涙を流しながら送っていいました。昔は早くても夜の9時に家を出るんです。せっかく仏様がおいでになったんだから、おもてなししてゆっくり過ごしてもらうんですね。町によっても特徴があって立山地区の船は大きかったです。小さな船をつなげて担ぐ町もありました。

西山地区は遠いので日付の変わる頃に来ていました。そのことから長崎では、人が遅く来るような時には「あの人は西山船のごたるばい」と言ったものです。鐘の音が良かったんですよ。「村田の鐘」と言って鋳物で大きかったです。チャンコーン、チャンコーンという音で、余韻がありました。

鐘は各町内が自慢して持っていましたが、戦争で多くは供出されました。

【掲載日】２０２０年10月7日（水）

㊶ シーボルト宅跡

終戦後は荒れ果てて

国史跡のシーボルト宅跡（長崎市鳴滝2丁目）は昭和37年にシーボルト先生史跡保存会が結成され、翌年庭の整備や胸像の復元が完成しました。

終戦後は草が生えて森のようになっていたのを覚えています。大正11年に史跡指定されていましたが、戦争中は防空壕が掘られたり、胸像は供出されたりして荒れ果てていました。

建物自体は明治に取り壊されて、井戸が残っていました。近くの原田さんというおじいさまが建物が建っていた当時を覚えておられて、また古写真も出てきて、市の方針としてなるべく手を付けずに、残っているものを残しましょうということになりました。

その頃だったと思いますが、庭にアジサイを持っていって植えた

復元されたシーボルト胸像の除幕式＝1963年３月16日

ような記憶があります。誰かがシーボルトの花として強調しようとされたんでしょうね。そういうことからアジサイは、昭和43年に市の花になりました。昔はまちなかでアジサイを見ることはありませんでした。私たちは「お滝さんばな」と呼んで各家にはありましたけど、別になんてことなかったですね。

昭和31年頃には、シーボルトのひ孫の妻・楠本チエさんから「越中さん相談があるから来てくれ」と連絡があって、浜の町あたりの旅館に会いにいったような記憶があります。向こうが私を知っておられたようです。40、50代の女性でした。

風呂敷を抱えて持ってこられてね、遺品を市の方で保管してくれんだろうかと言うんです。なかには青貝細工のかぎたばこ入れやシーボルトの書状などがありました。博物館に持って帰って、市教委の先輩方に相談しました。

道具屋に持っていく方が高く売れるんですけどね、長崎で残しとかないかんって思われたんじゃないですか。それらは昭和55年、「フィリップ・フランツ・フォン・シーボルト関係資料」として国の重要文化財になりました。現在はシーボルト記念館に収蔵されています。

【掲載日】２０２０年10月14日（水）

㊷ 浩宮さま

向かい合ってお勉強

私の人生を振り返ったとき、頭の中に残っていることのひとつが今の天皇陛下の若いころにお会いしたことです。天皇陛下といったら、われわれにとって戦前は、「神様」という気持ちがいくぶんかありました。

戦後は「神様天皇」から「人間天皇」、親しみのある天皇陛下にお変わりになっていました。昭和というのは前半は戦争ですね。昭和天皇ご自身が、国民へすみませんというお気持ちが強くあられたのではないかと思います。昭和天皇が崩御された時は、寂しい気持ちになりましたね。

昭和天皇や今の上皇さまも、長崎に来られた時になんべんかお会いしましたが、まだ恐れ多かったですよね。私が「人間的」と思ったのは、昭和52年、今の天皇陛下が学習院の高校時代に長崎を訪問されて、お会いした時です。当時は浩宮《ひろのみや》さまと呼ばれていました。

昼間は長崎市の日本二十六聖人記念館や浦上天主堂などをご案内したんじゃないですか。その後夕方になって、宮内庁の職員から宿に来てくださいと呼ばれました。まさかまたお会いするとは思っていませんでした。

当時はまだ炉粕町で営業していた高級旅館「諏訪荘」にお泊まりでした。1階の畳の部屋で待っていると、2階から下りてこられました。昼間はピシッとした服装でしたが、宿ではシャツを着てゆったりとされていました。陛下と私が向かい合って座って、侍従がその横にいました。陛下とは私の本を差し上げたりしてお話しました。

長崎の歴史文化に関するいろいろな質問をされたのでしょうけど、どんなことを話したのかあまり覚えていません。後の天皇陛下

学習院の学生時代に長崎をご訪問された現天皇陛下を案内する越中さん（右）＝1977年
（日本二十六聖人記念館提供）

とまさか向き合ってお勉強するなんて考えられませんよね。

ですがこの時に、ああやっぱり「人間だ」と思ったことを覚えています。神様ではなく、学習院の学生という印象でした。今の方には想像がつかない感覚だと思います。

【掲載日】２０２０年10月21日（水）

㊸ 国立劇場

明清楽とオラショ披露

昭和52年7月、東京の国立劇場で長崎を代表する音楽として明清《みんしん》楽《がく》とオラショの公演があり、当時長崎市立博物館の館長だった私は明清楽の監修を担当することになりました。

その2年ほど前に同劇場の方が調査においでになって、キリシタン研究者の片岡弥吉先生と私が呼ばれました。明清楽とかくれキリシタンに伝わるオラショを、国立劇場の外来音楽公演で演奏してくれんかというんです。オラショは片岡先生に、明清楽は私に依頼されたようです。

明清楽は昭和の初め、小曽根《こぞね》乾堂《けんどう》の娘であられた明清楽の名手の小曽根キクさんから、中村キラさんや渡瀬チヨさんなどに伝承され、戦後そのお二人を中心に復興しました。同53年には県の無形文化財

国立劇場での明清楽の公演＝1977年7月

になりました。

それで私は国立劇場の公演に、キラさんら8人の方に出演をお願いして、月琴や胡琴、唐琵琶といった中国の楽器を使って恋歌「九連環」などの曲目を披露してもらうことになりました。公演の1カ月前には市内でも激励会を開いて演奏してもらいました。

一方、オラショは片岡先生が平戸・生月の「歌オラショ」を選ばれました。はじめ、信者の方は出演を断られたのですが、片岡先生などが「お祈りに行ってください」と説得されて実現しました。

舞台に暗い農家の納戸のようなセットを作ってもらって、信者の人たち9人ほどがロウソクを囲んで座りました。演出は西洋音楽史学者の皆川《みながわ》達夫《たつお》さんです。

公演が始まって、舞台で信者の方がぶつぶつとオラショを唱えると、誰かが「聞こえん！」と言うんです。すると信者の方が、「オラショは人に聞かせるためにするんじゃありません。お祈りをあげているんです」っておっしゃった。なるほどそうよね、と思いました。それからは会場がシーンと静かになったことを覚えています。

2日間の公演でしたが、満席で入場できない人もいたそうです。

【掲載日】２０２０年10月28日（水）

㊹ 大水害

気持ちが通じ合う

長崎市教委の職員になったころから、長崎では社会教育として「史跡巡り」が盛んになりました。郷土史家の先輩方の指導を受けながら、コースを作るのが仕事のようになった時期もありました。先輩方が人の知らないところへ連れて行きなさいと言ったんでしょうね。たくさんコースを企画しましたよ。長崎市内をはじめ、時津、長与や島原、遠いところは福岡の柳川まで行った記憶があります。坂本龍馬をテーマにしたものが一番当たりました。

そういう関係で、７月23日は長崎市飯香浦町の地蔵祭りに出掛けるのが毎年の楽しみでした。地蔵堂があって、そこに近所の方がごちそうを出してくださるんですね。

昭和57年の長崎大水害のその日も行くつもりで、10人くらいで集

長崎大水害で被害を受けた長崎市浜町のアーケード

まりました。しかし雨が降りそうだったので、バスが走らないかもしれないからやめようということになりました。

それで飲んで帰って、うちで酔っぱらって寝ていると、家内が「お父さん、起きなさい」と起こすんです。働きに出ていた娘が帰ってきていないから浜町に迎えに行きなさいって。午後9時くらいだったでしょうか、降り始めはそんながんなかったんですけどね。

電車に乗って娘を迎えに行こうとしましたが、水の勢いがひどくて途中で引き返しました。そのまま出ていたら流されとったでしょうね。娘は水が引いてから無事に帰ってきました。

その25年前、昭和32年に起きた諫早大水害では、長崎市職員としてみんなでバスに乗って諫早市へ応援に行ったのを覚えています。長崎原爆の時に諫早にはお世話になったからね、お返ししたいという気持ちがあったのでしょう。

私は田舎の方で片付けを手伝いました。市内は家や橋など、何もかも流されてなくなっていたことを覚えています。

長崎大水害の後で、諫早の方が鰻《うなぎ》を持ってお見舞いにきてくださいました。諫早の大水害の時にはお世話になりましたと言ってね。大きな災害を経験して、気持ちが通じ合ったのだと思いました。

【掲載日】２０２０年11月4日（水）

㊺　正倉院

べっ甲の宝物を調査

昭和57年に長崎鼈甲《べっこう》商工協同組合から執筆を頼まれて、べっ甲の研究をするようになりました。

私もべっ甲についてよく知らないからね、資料を集めたり、職人さんから話を聞いたりして、翌年「長崎のべっ甲」（同組合など刊）にまとめました。べっ甲の歴史をもっともらしゅう、ああだこうだと書いているのよ。すると、全国的にべっ甲を研究している人があまりおらなかったんでしょうね、宮内庁から正倉院（奈良市）に玳《たい》瑁《まい》（べっ甲）製の宝物があるから、調査してくださいませんかと言われたの。

昭和61年と62年の2回、秋の宝物点検・整理の時期に出張しました。長崎のべっ甲職人2人にも調査に加わるよう依頼があったの

べっ甲に関する越中さんの著書

で、3人で奈良に向かいました。

正倉院は奈良の東大寺大仏殿の裏にある、宝物の倉庫です。私たちは別に建てられた保存庫の入り口にある研究室で調査しました。板の間の部屋だったと思います。そこに1日中座っていて、係官が一つずつ持ってきて目の前に置かれる宝物を調べるんです。

私は正倉院の宝物は天皇陛下のものという意識があったので、それを見せてもらうわけだから、頭がぼーっとしました。天皇陛下の前に座るような気持ちです。おくんちのお上り、お下りの時の気持ちに似ているんじゃないですかね。初めから緊張していて、なんだか恐ろしかったですよ。

調査といっても宝物を動かすのは係官で、私たちは触れてはいけません。指をさしてここを見せてくださいとも言えないので、どうやって調査したんでしょうね。指し棒みたいなのを使った記憶があります。

職人さんが偉かったんですね。調査が終わってから、材料や技法などについて報告書にまとめました。すると宮内庁の役人から、ちゃんと報告書を書いたからね、何かしてもらいたいことはありますかと聞かれました。

私が「もう来年は呼ばないでください」と言うたら、「おいでになる研究者でそんなことを言うのはあなたが初めてです」って驚かれたのを覚えています。普通はもういっぺん呼んでくださいって言うそうですね。

その後も『玳瑁考』（純心女子短大付属歴史資料博物館刊）という本を書いたりなんかして、ますます有名になりました。越中さんはべっ甲に詳しいってね。

【掲載日】２０２０年11月11日（水）

㊻　食文化

各地でごちそうしてもらい

長崎市立博物館で働くようになった昭和30年代から、長崎の食文化に興味を持つようになりました。博物館で師事していた林源吉先生の影響ですね。先生の奥さまも長崎の年中行事の料理に詳しかったです。料理そのものの研究は以前からありましたが、文化史的な視点を持つと研究が、ぱっと広がりました。

長崎は書く材料がいっぱいありました。西洋料理については昭和51年ごろ、司厨士協会長崎支部の方から西洋料理発祥の記念碑建立を計画しているので、歴史の著述を考えてほしいと頼まれました。

親しかった二十六聖人記念館のパチェコ神父なども助言をしてくださいまして、昭和57年に『長崎の西洋料理－洋食のあけぼの－』（第一法規刊）を出版しました。これがよく売れたんですよ。料理のことは越中に聞けと、また全国的に有名になりました。

県内各地の郷土料理も調べて、新聞に連載していました。長崎は大都会じゃないからね、各地の風習がたくさん残っているんじゃないですか。ぜいたくな料理じゃなくて、その土地で採れるものを工夫して食べるんですね。

チャンポンもそうですよ。昔は今のようなごちそうではありませんでした。「チャンポンにしとかんね」と言って、余った残り物を一緒に炊いて食べていました。チャンポンの歴史を調べに、中国福建省の田舎に行ったこともありました。

対馬のいりやき、島原のがんば料理、壱岐の雲丹めしなど、県下各地を訪ねると、現地の人にごちそうしてもらいました。そのせいですかね、体重が90キロを超えていた時期もあるんですよ。

けれど肝心の味はあまり覚えていません。おもてなしを受けて、食べるより飲んでばかりいたのでしょう。食べたらお酒がおいしくなくなりますからね。料理のことは後日電話で聞いて、原稿にまと

長崎の食文化など盛んに執筆活動をしていた越中さん＝1981年

めていたんじゃないですか。

私は趣味というのがなくて、唯一好きなのがお酒を飲んで酔っぱらうことでした。毎日立ち飲み屋に行っていました。1日3合くらい飲んだでしょうね。博物館館長とか、昼はまじめにしていたから、夕方お酒でほっとしていたんじゃないですか。

定年退職後に勤めていた長崎歴史文化協会でも、95歳くらいまで勤務が終わると事務所でワンカップを飲むのが習慣でした。安いお酒でいいんですよ。

【掲載日】２０２０年11月18日（水）

㊼ 清島省三

長崎の文化普及に功績

昭和56年12月に長崎市立博物館を定年退職した時に、当時十八銀行の頭取だった故清島省三《きよしましょうぞう》さんから呼ばれて、同銀行の応接室を訪ねました。

コーヒーをいただいて古伊万里染付のつぼを眺めていると、清島さんが穏やかな顔で「同志と計って、大きな文化研究クラブというようなものを発足、運営してはどうかね」と助言してくださいました。これがその後35年以上続いた長崎歴史文化協会の始まりでした。

清島さんとはそれ以前からいろんなことがありました。熊本の方でね。一番初めは長崎キリシタン文化研究会をつくった時だと思います。銀行としてその後もいろいろな文化団体を援助してくれました。

清島省三さん＝1986年

奥さまとの結婚でも思い出があります。清島さんが長崎ポルトガル名誉領事になられると、行事などに夫婦で参加することが求められるでしょ。時代もあって、私が奥さんをおもちにならないといけませんよって申し上げました。

初めは否定されたのですが、いっときしたら電話が掛かってきて、「おい、（お嫁さんが）おったぞ」とおっしゃいました。結婚式はお年もあって大々的にされないからね、グランドホテルで表向きは越中哲也の文化講演会という名目でやったの。

「講演会」ですから私が立って話そうとしたら、会場から「越中、おまえやめろ」って言われてね。みんな披露宴と知って集まっていたんですね。亡くなった時、奥さまから形見としてもらった清島さんのステッキを今も愛用しています。軽くていいんですよ。

長崎に文化的なものを普及しなくてはならないという考えをお持

ちでした。清島さんの昭和、平成の功績は注目されるべきですよ。大事な存在ですよね。朗らかな方で、お酒はあまりお飲みになりませんでした。

清島さんの肝いりで昭和57年に発足した長崎歴史文化協会は理事長として、むかし県立図書館で先輩方が寄って自由に語り合っていたような雰囲気を再現したいと思っていました。文化サロンのようなものですね。

最初は人が集まってくるだろうかと心配していましたが、たくさんの人に来ていただくようになりました。

【掲載日】2020年11月25日（水）

㊽ 長崎学

地域文化を深く研究

長崎歴史文化協会設立の翌年、昭和58年には純心女子短大（当時）英米文化科の教授になりました。そこで大学内に「長崎学」という講座を開講してもらって、改めて外国の文化が長崎に及ぼした影響というものを考えました。

長崎学はそのころから、再び注目されるようになっていましたね。昭和61年に県教委が「長崎文化を考えるフォーラム」を開いて、長崎市出身で文芸評論家の山本健吉先生や、作家の遠藤周作先生、三浦朱門先生らが長崎文化研究を見直すようにとお話されました。

山本先生にはその20年前くらいにお会いしたことがありました。中学の先輩ですね。「長崎の歴史は特に国際的視野に立って考えな

越中さんも登壇した「長崎文化を考えるフォーラム」＝1986年10月

さいね」と言われたことを覚えています。

私は長崎学を、生活の中の文化史として考えてきました。衣食住に関係しているんだと。異国の文化の影響を受けた長崎の特殊な文化があるはずだとね。

県内にはかつての長崎奉行支配の文化圏のほか、五島藩や対馬藩、大村藩、島原藩などそれぞれの地域で培われてきた文化圏があります。これら一つ一つの地域文化を深く研究することが長崎学ではないかということです。

しかしこれからの時代は、私の時のように長崎学を広く捉えて総合的にまとめていくのは難しいんじゃないかしら。それぞれ専門的になっていくでしょうね。悪いことじゃないですよ。

大学の教員になると、取り組みがそれまでとは少し変わりました。新聞に記事を書いていた時などは面白おかしくすればよかったけれど、学術的な論文にまとめるということで難しさがありました。二十六聖人記念館のパチェコ神父などが学問とはこういうものだと考え方を教えてくださったと思います。

平成8年に退職するまで、同大のある長崎市三ツ山町まではバスで通っていました。運転免許は少年保護観察官になる時に必要だったので持ってはいましたけど、すぐに事故を起こして危ないということで、半年で運転は辞めてしまいました。

教習所に通った記憶はありません。どこかの道で練習していたようです。通行する人たちから「危ない、危ない」と言われていました。オートバイも乗っていたんですよ。若い時よね。

【掲載日】2020年12月2日（水）

㊾ 長崎歴史文化協会

なかにし礼先生に加勢

理事長を務めた長崎歴史文化協会では、会長で十八銀行頭取だった故清島省三さんから好きなことをしていいですよと言われていました。同銀行の事務員さんが常駐して取り仕切ってくれて、私は座って訪ねてくる人とわーわーしゃべっていました。

毎年、会員の皆さんと研修旅行に出掛けたことが思い出に残っています。田舎とか山の中とか、人のあまり行かないところに行きました。私はお土産を買って配るのも好きなので、たくさん買って帰りましたね。

モンゴルと中国の境界あたりを旅行した時には、砂漠でラクダに乗んなさいと現地の方に誘われました。私は恐ろしかったから乗らなかったのですが、女性が乗って、落ちてしまったのをよく覚えて

多くの人が集った長崎歴史文化協会＝2018年6月

います。

同協会にはたくさんの人がおいでになりました。いつごろからか「長崎のことは越中に聞け」となって、中央からも有名な方がよくお越しでしたよ。

ある日ね、朝の10時ごろに事務所に電話がかかってね、「なかにし礼です」っておっしゃるんです。当時は、なかにし先生といったら作詞家として有名でしたがね、私はまさかそのなかにし先生だとは思いません。長崎駅におると言われるので、「それなら電車で来《こ》んですか」って伝えました。

すると間もなく来《き》なったよ。近くのちゃんぽん屋から出前を取って、みんなで食べました。「ああ、おいしい」と話される様子を見ていて、私はやっぱりあのなかにし先生だと感じました。だけど他に来ていた会員の江口先生は私を引っ張って、「なかにし礼がちゃんぽんばうまかって言うはずがないですよ。にせもんですよ」と言って疑っていたのがおかしかったです。

詳しい内容はおっしゃらなかったけれど小説のために、「越中先生加勢してくれんか」と言われました。それから何回か長崎においでになって、平成11年に小説『長崎ぶらぶら節』をお書きになりました。

取材で一緒に亀山社中跡や日見峠などに行きました。日見峠は私は歩きたくなかったけれど、なかにし先生は「いや歩く」と言われてね。なんでも実際にやってみる人だと思いました。

同作はその後映画にもなって、長崎がまたばーっと有名になったんじゃないですか。観光に箔《はく》が付いたような気がします。映画の撮影にも呼ばれて、精霊流しのシーンに出てくれと言われました。鐘を鳴らすのが難しくて、他の人では音を出しきらんと言うんです。映っているはずですよ。

【掲載日】２０２０年12月9日（水）

㊿ 完 白寿

またお会いしましょう

13日で99歳になりました。白寿です。来年は100歳になります。恥ずかしいですよ。他の人のように良いことをしてきたのならいいですけどね。迷惑をかけてすみませんでしたという気持ちです。

なんでここまで生きたのかしら。90歳を過ぎたころから世界が完全にぼやけてきたように感じます。社会ではいろいろな問題がありますが、すべてに対してああそうですかという気持ちになるんですよ。人間らしい考えがなくなるというかね。まだここにおったね、と思います。言葉では言えないような、空《くう》の世界があるんです。

朝は5時ごろトイレに行きたくなって目が覚めます。ふとんを自分で片付けて、8時の朝食まで、自分の部屋の机の前で新聞を読んだりしてぼやっとしています。

13日、白寿を記念して揮毫する越中さん
＝長崎市伊良林１丁目、光源寺

新聞は1面から読んで、ローカルのページを見て、それからお悔やみ欄に目を通します。90歳以上の人が何人死んでいるだろうとね。自然と、次は自分の番だなと思います。

3年くらい前から死ぬのは怖くありません。急いで死にたくはないけどね。先がないのは分かっています。自分だけの小さい道ですけどね、行く道を見極めたいと思います。

朝食の後はラジオを聞いたり、お手紙を書いたりしています。目が悪くてテレビは見えませんしね。することがないでしょ。うとうとしていることも多いです。

お昼はパン1枚に牛乳と決まっています。健康を考えて家内や子どもたちが栄養を計算しているんでしょう。水分はたくさん取っています。

白寿を迎えてあいさつする越中さん
＝光源寺

午後は病院に行きます。内科と眼科と整形外科、三つの病院に通っています。仕事のようなものですね。天気のいい日はそれから散歩をして、中島川の川端に行きます。みんなが寄ってきて、ベンチで雑談して過ごします。家族からは5時までに帰ってこいと言われています。

飼い犬のトトが生きていたころは、毎日散歩に連れて行っていました。かしこい犬でしたよ。子どものころにシェパードがいて、以来犬はずっと飼っていました。今はメス猫がいますが、私の所には来《こ》んもんね。家族が世話をしていて、名前も知りません。猫、猫、と呼びます。

帰宅後は夕飯まで自分の部屋でじっとしています。あめをなめた

愛犬と散歩する越中さん（右）（光源寺提供）

りもしますが、近頃甘い物を食べると体がかゆくなって困ります。お酒を止めて甘い物がほしくなるし、味覚は甘いのがよく分かるんですけどね。お風呂は家族で一番最後です。午後11時頃に入って、床に就きます。ふとんも自分で敷きますよ。

人との会合が楽しみですね。毎週日曜の光源寺の日曜礼拝が終わると、檀家《だんか》の皆さんが座談会をしてくれます。年を取ってくると寄ってお話したいという気持ちが強くなりました。皆さんの輪の中に入れてほしいと思うんです。

毎月最後の日曜日には、「光源寺日曜はなし」として、長崎の歴史などをお話しています。前住職だった弟から、亡くなる1年くらい前に「兄さんも月にいっぺんくらい仏教の話を入れて何か話しなさい」と言われてね。それをきっかけに親鸞聖人の「歎異抄」などを改めて読み始めて、また自分の人生を見つめるようになりました。

「大いなる力に引かれ行くわれのわが思い出は…」。郷土史家の先輩が亡くなる前に言われた言葉が頭に残っています。振り返れば、自分でこうしようとやったことはひとつもなかったように思います。なんでも先輩から言われたことをしていたんです。恵まれていました。

外国に行くなど、人のしないことをしたいという気持ちはありました。辛かったこともあったはずだけど、覚えていません。私の人生はうそいつわりが多かったけれど、それでも国のためにとか、誠のこともさせられたのだと思います。

自分の好きなように遊びました。家庭よりか何よりか、勉強したかったんでしょう。すべて家内が何も言わないで好きにさせてくれていたんですね。今になってありがたかったと思います。

皆さんは私が今まで話してきたことをどう思われますか。中には記憶違いがあったかもしれません。戦後は良い時代を生きました。昭和30年代が一番活気があったように思います。

歴史的に、長崎というまちは人が集まってきてできました。集まるには理由があったんですね。それを考えると今は集まる理由がないのよ。

これからは人口が減って、繁盛するというより、だんだん寂しくなっていくということをお考えになるのがよろしいんじゃないですか。そういう中でどう生活するのかとね。何もない所から発展したんです。必要があればまた変わりますよ。

長くなりました。私のお話はこれでひと区切りです。ご縁があったら、またお会いいたしましょう。

【掲載日】２０２０年12月16日（水）

＝おわり＝

第二部

越中哲也さんの実像を語る

かかわった人々の証言特集

■長崎学の継承について

長崎を媒介として世界史につながるもの

長崎市長崎学研究所　徳永　宏

日見峠を軽々と登る姿が懐かしい

令和三年（二〇二一）九月二十五日に御逝去された越中哲也先生は、精霊流しの解説番組で来年は私も船に乗っているかもというセリフを毎年おっしゃっていたが、そのセリフが現実となる日が来るとは思ってもいなかった。

日見峠を軽々と登っておられた姿が懐かしく、杖を突いてもなお、出島や長崎歴史文化博物館に仕事で足を運んで下さった時は申し訳ない気持ちでいっぱいだった。無論、各分野には多くの専門家がおられるが、最後は越中先生に確認する必要があり、こうしたことをお願いできる人は他にいなかった。

なぜ、そこまで越中先生が重んじられたのか、先生が歩んでこられた道や先生が残された言葉をたどりながら考えてみたい。

島内八郎、林源吉

越中先生にとって長崎学研究の第一歩は、昭和三十年（一九五五）一月に入庁された長崎市教育委員会社会教育課から始まる。同課は当時文化財行政も担っており、洋風建築の保存に従事した山口光臣《やまぐちみつおみ》（以下、敬称略）も勤務していた。このころ、旧グラバー住宅が三菱長崎造船所から長崎市へ寄贈され、昭和三十三年（一九五八）四月に観光施設として開放される。時を同じくして社会教育課から長崎市立博物館へ異動される。このとき、博物館は国際文化会館の三・四階に設置されていた。越中先生が着任したとき、それまで学芸員として勤務していた島内八郎が定年退職を迎えることから、その後任として越中先生が配属されたわけである。

島内八郎《しまうちはちろう》は、明治三十年（一八九七）に佐賀市で生まれ長崎県立中学校と長崎高商に進み、県立長崎図書館をへて、昭和十六年（一九四一）に開館した市立長崎博物館の主事となる。彼は、歌人としても活躍し歌集も出していた。島内は、永山時英や古賀十二郎、武藤長蔵らと交わるうちに郷土史を素材とする文学を目指していったと述懐している。越中先生は、彼から古文書解読の手ほどきを受けたと書いている。

林源吉《はやしげんきち》は、明治十六年（一八八三）生まれで実家が鍛冶屋町において家具屋「丸一」を営み青貝細工や漆器も扱っていた。源吉自身は彭城貞徳《さかきていとく》に師事して絵画を学ぶとともに美術工芸に関する見識を培い、陶磁器については特に造詣が深かった。林が昭和三十八年（一九六三）に亡くなった時、夫人から江芸閣《こううんかく》の書四幅対が博物館、花月の本田寅之助、永島正一、そして越中先生に形見として贈られたが、後に三人から博物館へ寄贈され元の姿に収めたことを逸話として越中先生が書かれている。

古賀十二郎、福田忠昭

ここで表題にある「長崎学の継承」について、その流れを振り返ってみたい。越中先生御自身、この長崎学の系統については何度か文章にまとめている。主なものとしては、長崎新聞創刊一〇〇周年記念企画として同紙に「長崎学の人々」を一〇〇回にわたり連載し、これを再編して長崎純心大学博物館から平成十七年（二〇〇五）に出版されている。

長崎学の出発点となったのは、明治二十七年（一八九四）に香月薫平や安中半三郎らが開設した長崎文庫である。同文庫では貴重な資料の散逸を防ぐとともに私設図書館の役目を果たした。資料や図書類は大正五年（一九一六）に長崎県立長崎図書館へ寄贈される。彼らは、医師・教育者・新聞人・政治家と多彩な顔を持つ西道仙や初代長崎区長金井俊行らと長崎古文書出版会を発足させて長崎叢書を出版し、長崎で初めて地域文化を取り上げた。

長崎市では、大正八年（一九一九）から『長崎市史』編纂事業に取り組むこととなる。このとき、顧問を務めたのが東京帝国大学教授三上参次と京都帝国大学教授新村出、参与として永山時英長崎県立長崎図書館長、編纂委員として古賀十二郎、福田忠昭の二名が委嘱された。

古賀十二郎《こがじゅうじろう》は、明治十二年（一八七九）、本五島町に生まれる。明治三十年（一八九七）に長崎商業学校を首席で卒業した後、高等商業学校附属外国語学校（のち、東京外国語学校と改称、現在の東京外国語大学）に入学し、英語などを学ぶ。卒業後、広島で英語教師を務めたあと、長崎に戻り、『長崎評論』を創刊、第一期の長崎史談会を組織する。大正八年（一九一九）に長崎市史の編纂を委嘱され、『長崎市史　風俗編』を執筆した。資料の収集にも力を入れ、古紙寸前の憂き目にあった「犯科帳」を救い出したことは有名で、古賀が設立に尽力した長崎県立長崎図書館に収められた。彼の蔵書は「古賀文庫」として長崎歴史文化博物館に引継がれている。越中先生は、長崎市史編纂の理念が今日の長崎学の理念であり、古賀十二郎らの業績が現在の長崎学につながっているとしている。

もう一人の編纂委員であった福田忠昭《ふくだただあき》は、明治十二年（一八七九）、矢上村の田口家に生まれ、のち長崎の福田家に入る。師範学校を卒業して小学校教諭・校長として勤務する傍ら、郷土史の研究を行うとともに積極的に資料を収集して、その蔵書は福田文庫として同じく長崎歴史文化博物館に引継がれている。福田は、長崎市史編纂を最初に提案した人物でもあり、同書地誌編の執筆にあたった。島内八郎は、福田のことを「小学校長あがりの篤実無口型で、万事に『事挙げしない』人だった。この人が長崎市史編集の事実上の中心人物で、大きな業績を残して昭和五年（一九三〇）四月病歿した。」と紹介している。

藤木喜平、渡辺庫輔、永島正一

昭和に入ると長崎学に親しむ人が増え、昭和三年（一九二八）に再び長崎史談会が発足した。それと前後して『長崎談叢』が発刊される。史談会設立時の会長は長崎県学務部長松村光磨、幹事に林源吉、渡辺庫輔、藤木喜平、神代祇彦ら十二人、顧問に長崎県知事、長崎市長、永山時英、武藤長蔵、呉秀三、国友鼎、福田忠昭、古賀十二郎、新村出など、そうそうたる人物が名を連ねた。史談会設立及び『長崎談叢』発刊の経緯は、『長崎談叢』第二十二輯に神代祇彦が書いている。

同誌の印刷を請け負った藤木博英社の社長藤木喜平《ふじききへい》が、神代に提案したことがきっかけで、以後、同社が長年発行に関わっている。

藤木は、後に史談会会長を引き受けているが、長崎学関連書籍の出版も数多く手がけ、長崎市市政功労者表彰や長崎新聞文化章を授与されている。同会幹事長を務めた松尾利信が『長崎談叢』第四十四輯に寄せた「藤木喜平翁小伝」では、彼の歩みを「努力精励の二字につきる」とし、その人柄を讃えている。また、『長崎談叢』発行の金銭面について一言も語らなかったとも回想しており、財政事情がいつも火の車だった同会一番の支援者であったことは、後述するように越中先生の同誌編集後記から窺い知れる。

太平洋戦争終戦後の昭和二十四年（一九四九）、古賀十二郎や渡辺庫輔らが「長崎学会」を発足させ、永島正一が世話役を務めた。県立長崎図書館で研究発表会を開催したが、古賀や渡辺が亡くなり、永島も図書館長として多忙となったため、昭和四十二年（一九六七）頃に活動を休止する。同会は、長崎在住の研究者が会合し学びあう場所であった。

渡辺庫輔《わたなべくらすけ》は、明治三十四年（一九〇一）生まれで、中学生の時に長崎医学専門学校で教鞭をとっていた斎藤茂吉の内弟子になったという。芥川龍之介に師事し文筆家を目指すが、父の病により帰郷し、古賀十二郎の長崎学を継承する。越中先生は、島内八郎と長崎中学校で同級であった渡辺庫輔に地方史研究の手ほどきをうけ、渡辺の長崎学を「長崎を長崎のみの立場で捉えるということではなく、広く歴史学一般に目を通され、内外の歴史的事実を比較し攻究《こうきゅう》されるという立場をとられていたが、そこには常に長崎という立脚地があった。それこそが渡辺先生の学風の特長となっている」と評価している。

永島正一《ながしましょういち》は、大正元年（一九一二）、八幡町の傘鉾町人の家に生まれ、海星中学校卒業後、三十八年間長崎県立長崎図書館に勤務し、館長を務めた。その間古賀十二郎らに師事し、「戦後、『長崎学』という言葉を意識的に強調された」のが永島であると越中先生は考えておられた。永島が構成・語りを担当した長崎放送のラジオ番組「長崎ものしり手帳」は昭和二十八年（一九五三）開局当初から放送回数一万回を超えた。その放送内容は、『長崎ものしり手帳』全三編にまとめられている。

昭和二十年代後半に渡辺庫輔が越中先生を永島に紹介した。越中先生は、郷土史を誰にでも手に届くところにおかれたと、永島の長崎学における功績を評価している。

美術工芸とお茶

永島は、昭和二十九年（一九五四）に長崎学会を再編し、漁業や石油販売業を手掛けていた増田高彦《ますだたかひこ》の支援を得て、渡辺庫輔著『阿蘭陀通詞本木氏事略』をはじめ長崎学会叢書九冊を発行した。増田高彦は、長崎学の発展に多大な経済的支援を惜しまなかったことを越中先生が折に触れ書き残されている。同叢書には、永島のほか、片岡弥吉、中西啓、森永種夫、そして越中先生が著編者として名を連ねている。越中先生は先輩である永島に教えを請い、彼を「真の長崎の最後の郷土史家」と評価された。

話を元に戻して、越中先生は博物館に異動された時、長崎史談会の運営を任されたが、永島正一の助言で藤木会長と諸谷義武長崎市長に相談し、長崎市立博物館に事務所を置くこととなった。越中先生にとって、博物館と史談会は不可分な存在であったのではないだろうか。

昭和三十六年（一九六一）、越中先生は当時の館長梁瀬義一を説いて『長崎市立博物館々報』創刊号を発行し、長崎学に関する論文、館の活動報告を掲載し、越中先生御自身もそのことを評価されている。越中先生自身は、この記念すべき号に「国指定重要美術品『唐人屋敷第二門』の名称について」を掲載されている。その後も館報に論文を掲載されているが、その多くは長崎の美術工芸品に関するものである。

また、先生が博物館で取組まれた行事に、昭和四十二年（一九六七）から開催した市民茶会を挙げることができる。全国学芸員研究会で博物館と茶道が提携するのは、大いに博物館ＰＲのために意義があるという報告を受けてのことである。確かに茶道は日本の様々な文化・芸術と密接に関わっており、お茶をたしなまれる方にとって、博物館の美術工芸品を鑑賞したり、その歴史的背景について聴講することは、道を究めるうえで大変参考になるといえる。越中先生は、若い学芸員によくお茶を習いなさいと勧めておられた。

このほか、展覧会、史跡巡り、講演会等を実施し長崎学の普及に努める。この間、昭和四十九年（一九七四）に越中先生が館長に就任、翌年、国際文化会館を被爆資料の展示施設に特化させるため、出島へ市立博物館が移転した。そして、昭和五十六年（一九八一）、国際文化会館隣に建設された長崎市平和会館地階に博物館が移転した。ここには、越中先生の発案でお茶室と日本庭園が造られた。私自身も、平成五年に日本ポルトガル友好四五〇周年を記念してこのお茶室で開催された「南蛮茶会」に少しだけお手伝いをさせていただいた。このお茶室は、お茶会に初めて参加される方も気軽にお茶を頂ける立礼席があり、大きなガラス窓越しにお庭を眺めることができる開放的な茶室である。

ボクサー博士を案内する越中先生
昭和55年３月11日 出島の市立博物館にて

昭和五十六年（一九八一）十一月、博物館法制定三〇周年に当たり、永年にわたり博物館に勤務し博物館活動の振興に多大な貢献をした功績により文部大臣表彰を受け、同年十二月に六十歳の定年を迎えて退職される。

越中先生は、退職にあたり史談会の事務所を御自宅に移し、奥様の助けを得て事務にあたったがままならず、翌年四月より、会の連絡事務所を長崎歴史文化協会に置く。この頃の史談会の会計は諸氏の寄付を得ながらの自転車操業状態で、『長崎談叢』発刊の経費を捻出するのに苦労されていたことをしばしば編集後記に書かれている。この年、藤木喜平会長が亡くなり越中先生が後任を務めることとなった。以後、越中先生の活躍の場は、純心女子短期大学、長崎歴史文化協会に移っていく。

長崎市長崎学研究所に託されたこと

長崎市教委社会教育課、そして長崎市立博物館に勤務された約四半世紀は、越中先生にとって長崎学継承の基礎を築かれ、そのスタイルを確立された時代である。ここでは御紹介できなかった方も含め多くの先学の師に出会われ、自らが進むべき道を見出された。越中先生は、「長崎という地理的な土地が、深く世界の歴史とかかわりあわなければならなくなった歴史的背景を考え、更にその長崎の文化を背景にして発展してきた我が国の文化を考えると、そこには長崎を媒介として世界史につながるものがあり、その探求こそ長崎学であると私は考える」と書かれている。多くの先達に出会い、彼らから学んだものは知識だけにとどまらず、長崎人の気質ともいうべきものがその軽妙な語り口に表れているような気がする。越中先生は、永島正一がその

「長崎学」創刊号表紙の題字は越中先生の揮毫

最後の人だとされたが、私にとっては多くの先輩を見送られた越中先生自身が最後の人で、先生にお尋ねしないと分らないことが沢山あったのは間違いない。

令和の現在において、越中先生が体感され究めた道を同じようにたどることは叶わないが、新たなやり方や枠組を模索しながら長崎学の継承を持続させていくことは可能だと考えている。長崎市が平成二十八年（二〇一六）に長崎学研究所を設置したのは、行政や大学・民間団体の協力の輪を広げ、次世代に繋いでいくことで長崎学の継承をゆるぎないものとするためである。研究所の設置を越中先生に御報告した時には大変喜んでいただき、研究所が発行する紀要『長崎学』の題字を揮毫していただいた。

末筆ながら、越中先生のこれまでの御功績に深く感謝申し上げるとともに御冥福をお祈り申し上げる。好きなお酒を片手に、長崎学研究の先達と長崎学談議に及んでおられるのが目に浮かんでくる。（合掌）

（とくなが　ひろし＝長崎市職員）

主要参考文献
『長崎談叢』（長崎史談会）
『長崎市立博物館々報』（長崎市立博物館）
越中哲也著『長崎の美術史論考』（純心女子短期大学付属歴史資料博物館　平成五年）
越中哲也著『長崎学人物誌』（長崎純心大学博物館　平成六年）
越中哲也著『長崎学の人々』（長崎純心大学博物館　平成十七年）

■「長崎学」から「博物館」まで

越中先生の遺されたもの

長崎純心大学長　片岡瑠美子

次世代の育成に向けた情熱

越中哲也先生が帰天されました。私たち大学人に多くの学問的成果を遺して。

先生は本学が純心女子短期大学であった一九八三年（昭和五十八）から一九九四年（平成六）四年制大学となってから二年後の一九九六年（平成八）まで教授を、二〇〇二年（平成十四）からは博物館顧問を務めていただきました。退任されるまで、歴史を学ぶ若者たちの育成、博物館をはじめとした施設の充実、長崎学の進展など多くの課題に力を尽くされ、数々の研究書を上梓されました。

これら、大学博物館の設立から開設後の尽力、郷土史に携わる次代の育成に向けた情熱など、振り返れば先生の思い出は尽きません。

大学開学25周年記念展
『長崎学の歩み－越中哲也コレクション展』（2019年）

越中先生と学生たち

授業の一環として、先生はよく学生を連れて実地指導をされました。フィールドワークです。泊まり込みで平戸、島原半島、五島列島など、年度によってコースは変わりますが、引率してくださいました。

臨地研修後は、レポートを書かなければいけないので、学生たちは先生の説明を一生懸命に聞き、先生は必ずメモを取らせて、レポート論文を丁寧に添削してくださっていました。

学生たちとの接し方はお上手でした。強制ではないのに、学生たちを引き込んでいきます。そして、どんな質問にもいい加減な回答ではありません。学生から社会人まで同等に教えてくださったという印象です。とくに長崎のことは絶対に即答です。「この本を見てみなさい」「この資料を調べてごらん」と指導されていました。
越中先生は、やわらかく丁寧な長崎の方言で話され、そのお声と笑顔に引き付けられる授業でした。

越中先生の長崎学

先生は何か新しい気付きがあると、必ずメモを取ってポケットに入れておられました。いろんな所に出掛けられて、行く先々で情報があると必ずメモを取って帰る。そして最終的に一冊の研究書にまとめられる。越中先生の研究姿勢は、ひとつに固まることなく広い視野で知識を把握して進めていかれてました。キリスト教も仏教も、発端に遡って縦・横すべて繋がったものであることを明らかにし、長崎学を提唱されていました。

地元に根づいてこそ大事なものが見えてくるわけです。だから文献だけではなく実物があるところで、先生は研究され、そこから長崎学は始まったのでしょう。先生の研究成果は自ずと横に繋がっていった。全国に広がることで、ひとつの地方史の「学」になると捉えておられました。

先生は、オランダやポルトガルに行き、中国に行きと、ずっと外国へも行動されていました。自分の学んだものが、外国から来たとなれば、その元を確認する、確認して深く知っていく。これが越中先生の長崎学でした。

長崎純心大学博物館には、先生の著書も展示しています。長崎学研究とキリシタン研究を主要テーマにして展示したのですが、大変重要な研究の成果です。これらを眺めるだけでも先生の長崎学研究が花開いていった様が伺えます。

越中先生と「食」

「長崎の食」についても、喫茶の歴史も含めて研究されていました。著名な食の研究家とは大方お知り合いでしたから、学生たちを連れて二泊三日の研修もされました。卓袱料理の歴史はいうまでもなく、作法など、長崎の正式な料理を実地に学ばせておられました。私たち教職員の研修も企画してくださり、長崎の食文化を大切にして人々に広げておられました。

卓袱料理は越中先生が史跡料亭「花月」でビデオに収められたものを、私たちも観賞しながら学生たちに授業をしたものです。学生たちにチャンポンや皿うどんを作らせるのですが、町の専門講師にきてもらい、本物を作らせる、という授業は魅力的でした。

大学開学25周年記念展
『長崎学の歩み－越中哲也コレクション展』（2019年）

キリシタン史について

長崎のキリシタン史研究は、越中哲也、結城了悟、片岡弥吉の三人を中心に活気あるものでした。

越中先生の「キリシタン」という言葉には、キリシタン史とかキリスト教文化という概念が入ります。教養ではなくて人物とか工芸とか、キリシタンの伝承・歴史・文化です。

キリシタンに触れないで長崎は語れません。地元にあるものを地元の人が地元に根差して研究対象にしないでどうするか、ということです。地元の人が玳瑁《たいまい》（＝鼈甲《べっこう》）を知らない、キリシタンを知らないでは成り立たないわけです。

大学博物館に、ポルトガル貿易、オランダ貿易の焼物などを展示していますが、先生は本当に長崎に視座を据えて全方位に目を光らせておられました。だから、いろんな方面に出掛けて目に付けば買って帰られる。その成果を展示しているのです。

マリア観音

潜伏キリシタンの遺物の中に「マリア観音」があります。

潜伏キリシタン関係で関心が広がってくると、なんでもマリア観音にしてしまいがちですが、潜伏時代に信心具は没収されてしまいました。ですから長崎に入ってきた観音様が一番マリア像に似て近いことから、信徒たちはそこにマリアのイメージを求めて信仰の対象として、祈ってきたものをマリア観音と言います。

信徒たちが命がけで祈りの対象としたマリアですけれども、それは長崎に入ってきた〝焼物〟観音様。そういう見方が正確な見方でしょう。越中先生は、その観音像が今も存在するかどうか探しに行かれたのです。まだ生産する村が一カ所あると言って。同じ土、形から分かると言われていました。

私が先生から学んだ一番のものは、そういう研究姿勢です。誰かが書いたからではなくてご自分で文献を探索されるし、できる限り現場に行って先生はご覧になっていました。

歴史を学ぶ姿勢

古賀十二郎先生とか林源吉先生を尊敬されていました。長崎学の創始者として、「あの人たちがいたから、今の自分がいる」ということは、よくおっしゃっていました。直接習ったという自負です。古賀十二郎先生も文献に基づいて書かれているので、それは信頼してその説を基に考えていらっしゃったと思います。

越中先生が学生を連れて元寇の鷹島に臨地研修に行ったときです。現地の畑地から出て来たらしい石器が石垣の上に置いてあったのです。地元の人と先生が、「これ石器だね」と話していると「先生、持って行っていいですよ」と言われました。ところが先生は「いや、それはダメだ。ここにあるから島の歴史を語る資料とする石器であって、これがどこか他所に行ったら価値がなくなる。ここに置いておきなさい」と言って貰ってくることはなさいませんでした。研究者の姿勢を学生たちに示された一コマです。

博物館に生きる越中先生の寄贈

長崎純心大学博物館で企画展示を開くとなると、所蔵品だけでは展示物が足りないことがあります。先生のコレクションから寄贈を受けてきました。「これとこれなら私が出せる」と企画の度ごとにいつも協力していただきました。

越中先生は大学博物館のリニューアルをすごく喜んでくださいました。寄贈いただいた

長崎青貝花台

青貝細工花鳥文小箱
(『長崎学の歩み』展の時に寄贈)

資料三百四十二点、古文書四百四十八点になります。南蛮更紗、青貝細工、焼物などの本当に貴重な資料です。
　小さい博物館ですけれど、学芸員養成の場として充実させてくださいました。越中先生を通して元十八銀行頭取の清島省三さん（故人）からも相当に寄贈いただきました。

学芸員を育てて

　長崎純心大学博物館創立の頃の思い出のエッセイがあります。「三十七人の学生たちが学芸員を目指している。頼もしい限りである」などと、この博物館を支える人たちが生まれていく喜びを書いておられます。
　短期大学の時、授業に博物館のコースを作られて、学生たちを触発するいろんな歴史的な場に連れていかれていた。それでも資格として足りないからと四年制大学移行時に、先生は博物館学芸員コースを立ち上げ、養成できるよ

創立80年記念展（長崎県美術館）（2015年）

うにされました。今でも長崎県の大学で博物館を設置しているのは長崎純心大学だけです。

このように越中先生は博物館課程を大事にしてくださっており、去年（二〇二〇年）まで毎年、教壇に立っていただきました。最後は一コマですけれど、やっぱり学生たちに伝えたいことがあったのでしょう。きっちり九十分授業をされました。

先生にとって、学生たちはとにかくかわいかったのでしょう。自分が学んだものはすべて伝えたい、というお気持ちがあふれていました。学生たちも素直に聞く。とにかく、もう一回話したい、また講義に立ちたい、臨地研修に行きたいというお気持ちを常にお持ちでした。

学んだことを自分だけで持っておくのではなくて、それを伝えていかなければというお気持ちです。叱ることはまったくなかった。教える時もすごく優しく丁寧でした。学生たちの関心が高いと知ると、休みの日に待ち合わせをして出島などに連れて行ってくださいました。惜しみなく学生たちを大事にされていたようです。研修旅行に行くと、ずっとバスの中で説明役をされていました。楽しそうでした。

最後の対面と絶筆

二〇二一年三月、名誉教授の授与式が先生との最後の対面でした。とても喜んでいただきました。そのころはもうコロナ禍で多くの人が参列できなかったので、ごく少数での式典でした。

私たちは百歳のお祝いを、当然のように想定しておりました。一時の不調を乗り越えて元気になられたので「博物館だより」に原稿をお願いして、すぐに書いていただきました。先生の百歳のお誕生日に刊行する準備を進めていたところでした。その百歳の原稿が残されました。これが恐らく先生の絶筆となったのではないでしょうか。

（かたおか　るみこ＝長崎純心大学長・長崎純心大学博物館館長）

■くんち解説席での越中先生

一生の宝物「あなたとが楽でよか」

ＮＢＣ長崎放送　林田　繁和

越中先生と長崎放送

私が長崎くんちを初めて担当したのは、一九九七年（平成九）三十歳の時。二〇一七年（平成二十九）までの二十一年間で踊町がちょうど三周しました。先生とはこのうち十七回、放送での解説から勇退された二〇一三年（平成二十五）までご一緒しました。

ＮＢＣにとって、長崎くんちよりも長いお付き合いなのが精霊流し中継。一九八〇年（昭和五十五）から二〇一九年（令和元）まで四十年間もの長きにわたってお勤めいただきました。テレビ解説は「体が続かないから」というご自身からのお申し出でしたが、▽二〇一三年、長崎くんちテレビ実況勇退、▽二〇一八年、長崎くんちの公会堂・中央公園解説勇退、▽二〇一九年、精霊流しテレビ解説勇退、▽同年、長崎歴史文化協会閉会―

と八年かけてひとつひとつ大切な仕事を仕舞っていかれたという印象があります。

その年の朝一番の奉納となる長崎くんち前日《まえび》の解説では「重陽《ちょうよう》の節供（句）です。本来は九月九日でくにち、そこからくんち。朝からざくろなますを頂戴してまいりました」と語る。土地の風習や祭事を伝え、後世に残そうという姿を感じ、教えられたお付き合いでした。

越中先生の涙

二〇〇五年（平成十七）、前日の主任《とり》、籠町《かごまち》の龍《じゃ》が大きく舞ったあと、一気に一の鳥居まで下りました。桟敷席のモッテコイの声に応えて、そこから踊り馬場まで参道の石段を勢いよく駆け上がり、唐楽拍子が激しく打ち鳴らされるなか、踊り馬場で龍が躍動しました。

私は実況で、長崎にゆかりがあり、長崎を舞台にした小説を執筆している作家、平山蘆《ひらやまろ》江《こう》さんの遺した言葉「故郷《ふるさと》恋しや蛇おどり見たや　耳を離れぬドラ拍子」にまつわるエピソードを紹介しました。そのとき、越中先生は「平山さんはじゃを見たら涙を流しようしたですよ。ええ。…じゃを見たら涙を流しますねえ…」と呟かれた。

傍を見ると、先生が涙を流しておられたのです。そして「あと七年せんば、籠町の龍踊

越中さん　最後のくんち解説（2018 年中央公園）

りは見られんとですよね。そんとき八十三よ。次は九十よ」と続けられた。私は咄嗟に「先生、その時もぜひ、ご一緒に拝見しましょう」と繋《つな》ぎました。

放送終了後、先生に「なぜ、泣いていたのですか」と伺うと、「次の龍踊りは見られんかもしれん。これが最後かもと思うと涙が出た」と吐露されたのです。

若い頃は満開の桜を見て『綺麗だな』と感じるのが、歳を重ねると『この桜があと何回、見られるのか』と思うようになるといいます。喋りが達者な先生でしたが、ご自身は高齢であることを強く意識しておられるのだ、と思った瞬間でした。

先生とは七年後の、二〇一二年（平成二十四）の籠町の奉納も、再びご一緒に拝見することができました。

「褒めんば」が基本の〝越中節〟

「〈長崎くんちは神事〉であり、神様に奉納しているもの。それを解説だなんておこがましい」と、よく口にされていました。

〝越中節〟を堪能できたのは、ＴＶ中継ではなく「花場所」だったと思います。

越中先生は一九六八年（昭和四十三）の長崎市公会堂場所ができたときから二〇一八年（平成三十）まで五十年間、放送とは異なる「市民のための解説」を続けてこられました。神様へ奉納する本場所とは異なり、花場所は市民に向けての福のお裾分けの場。長崎の観光振興のために始まったこともあって県外のお客様も多く、長崎くんちがいかに素晴らしいかを、分かりやすく、面白おかしく伝えることが求められます。

「獅子はどうして牡丹を目指すか知っていますか」
「なぜなんでしょう？」
「教えませんけどね」
「教えてくださいよ、先生！」

軽妙洒脱。茶目っ気たっぷりに場内を沸かせる越中節を、時に実況であることを忘れ、私も客の一人として楽しんでいました。

私たちが、「先曳《さきびき》は船を引き連れてくる役割なんですよね」と実況すれば、絶妙な間合いで「歩きよるだけですけどね」

越中先生だからこそ観客も笑い、受け入れてくれる言葉です。

これにはこどもの手を引くお母さんたちも苦笑い。場内の笑いを誘います。

実況で「子どもたちは凛々しい船頭の衣装ですね」と言えば――、

「お母さん方の衣装が綺麗ですね」

「先生、そっちじゃありません！」の掛け合いもお約束のひとつでした。

「朝、早《はよ》うから起きだして綺麗にして。お母さんたちも褒めんばいかんとですよ」

「象」を「蔵」と読み替え、言葉遊び

先生は、どの町がいいとか、好きとかという比較を決してしませんでした。どの町も褒める。「よく稽古なさってますね」「見事ですねぇ」「可愛いですねぇ」と賛辞が基本でした。

踊町を比較した物言いをしない先生でしたが、思い入れがあるなと感じたのは「桶屋町」で

す。長崎歴史文化協会があった町という縁もあったのでしょう。長崎市の有形文化財にも指定されている白い象のからくり細工がある傘鉾は白眉のもの。毎回、解説にも力が入りました。

奇しくもご自身のテレビ解説の締め括りも、桶屋町が登場した二〇一三年（平成二十五）でした。この年は巳《み》年。『巳年の桶屋町の奉納』は縁起がいいとして「蔵《ぞう》が実る」とおっしゃいました。象を蔵と読み替え、巳の年で『みのる』。蔵がいっぱいになって豊かになるのだと。こんな洒落た言葉遊びを沢山ご存じでした。

二〇一八年（平成三十）、中央公園（旧公会堂）場所の解説を勇退すると聞き、当時、テレビ実況はすでに後輩に引き継いでいましたが、中央公園での場内実況で久しぶりにご一緒しました。

その年の主任《とり》を務めたのが椛島町のコッコデショでした。先生自らマイクを通して大きなモッテコーイの声をかけ、場内が沸いた後、太鼓山が踊り場を去るときに、担ぎ手たちが声を揃え「宝来栄」を謡い始めました。すると越中先生が一緒に、静かに、謡い始めたのです。そして目には涙。

場内解説が終わった後、「私がここで解説を始めた五十年前もコッコデショだったのよね。もう最後かなと思うてね」と少し声を詰まらせました。

「鳩か鷹か」

長崎くんちの生中継は、長い時で四時間近くに及びます。でも越中先生とは、事前打ち合わせなし。台本・リハーサルなしでした。初めて実況を担当した年だけ、事前のご挨拶に伺いましたが、「来年から打合せはいらないですよ」と言われ、その後はずっとぶっつけ本番です。生放送中、どんな問い掛けが来るのか、毎年ドキドキもの。「蔵が実る」の言葉もそうですが、瞬間的には理解できない話が飛び出すこともしばしばです。

二〇一〇年（平成二十二）、八坂町の傘鉾が登場した際にも、越中先生の博識に翻弄されたことがありました。

「〝この傘鉾には、なんで鳥のおるか分かりますか〟って問題のあっとですよ」

カメラは鳥居の上にとまる一羽の白い鳩を大写しにしています。

「あれは鷹なんです」

「たか？…鷹ですか？」。

繰り返しますが、それはどう見ても白い鳩です。先生は続けます。

「八坂神社の場所には元々、お寺があったとですよ。現應寺《げんのうじ》というね。『應《おう》』という字の中の『心』を『鳥』に変えたら『鷹』になるでしょう。だからね、〝ここには昔はお寺もあったとよ〟と」

こうやって文字に書き起こすと理解できますが、実況席の私は、シャギリのなか、音声だけで伺うのです。しかも目の前にはどう見ても『白い鳩』。この時ばかりは二の句が継げませんでした。

中継の後、社内の先輩の手を借りて調べたところ「諏訪神事画報（昭和十年発行）」や「長崎新聞　くんち長崎（昭和五十三年・長島正一さん連載）」を辿ると『霊鷹一羽泊る』と記載されていました。町内でも〈鳩〉と認識していた鳥は本来〈鷹〉で、戦後、（いつかは不明ですが）作り替えられたことも分かりました。

神様を戴く傘鉾は、町の歴史そのものであり、飾りも垂れも意味がある。「その物語をしっとかんといかん」が先生の口癖でした。

本番では、先生から「知ってますか?」と様々な問いかけがあります。色々調べ上げ、分厚い取材メモを目の前に広げる私とは対照的に、解説席の越中先生の手元には、赤本といわれる「呂紅の番付」と、長崎歴史文化協会で毎年書いておられた『ながさきの空〜今年の長崎くんちのみどころ』が一枚だけ。あとは日差しを避けるための扇子を置き、涼しい顔をして座っておられる。解説は全部、先生の頭のなかにありました。

〈一生の宝物〉「あなたとが楽でよか」の賛辞

そんな先生からいただいた嬉しい言葉があります。

二〇一三年（平成二十五）、公会堂で場内実況を終えたあとの「あなたとが楽でよか」私にとっては最高の賛辞で、大切な〈一生の宝物〉となる言葉です。

後年、雑誌の対談でこのエピソードを先生に伝えたとき「そんなこと言いましたかね？」ととぼけた後「あなたはよく勉強しておられたから」と褒めていただきました。

「先生、色々調べても、私はちっとも頭に入りません。先生はなぜ、正確な年など、あれだけの膨大な知識を憶えていられるのですか？」と伺ったことがあります。

対談中は「（歴史家の）先輩たちが厳しかったのよ。神様のことだから覚えておきなさいと指導されたから」とお答えになりましたが、取材後に、「私はね、陸軍中野学校に行ったのよ。そこで書かずに憶えることを叩き込まれたのよね」とこっそり教えてくださいました。

陸軍中野学校は旧日本陸軍で諜報員を養成した学校です。得心するとともに先生の普段とは違う一面に触れた瞬間でした。

変えていいこと、いけないこと

一度だけ、放送後に「長崎くんちには変えていいことと、いけないことがあるんです」と真顔でおっしゃられたことがありました。

現代の祭は市民が主役。時代時代に応じて少しずつ形を変えていったり、新たな取り組みに挑んだりというのはある。しかし、長崎くんちには〈江戸時代からの伝統を脈々と受け継いできたこと〉がある。奉納の仕方も含めて、そこは変えてはいけない。それが文化財継承者としての責任なんです、とおっしゃいました。

先生は戦後の長崎県や市の文化財指定に深くかかわっておられました。県内各地を訪ね、口伝でしか継承されていなかったことを文字として書き残したほか、中国やポルトガルなどを訪ねて長崎のルーツも研究されました。長崎の幅広く多面的な文化の保存に尽力されました。

さらに、戦争を経て途絶えていた竹ん芸や地元、伊良林の精霊船（もやい船）も復活されました。先生の実家の光源寺は浄土真宗で本来、船は流さないそうです。しかし青年団長として地域のためにと力を尽くされています。現代社会の中で廃れていく近世・近代の長崎の古き良き文化を伝え残すという大きな使命を感じておられたのではないかと思います。

越中さん　精霊流し　実況中継

精霊流しは見るものではなく送るもの

長崎放送で長崎くんち以上に長く関わっていただいたのが精霊流し中継です。一九八〇年（昭和五十五）から二〇一九年（令和元）に勇退されるまで四十年間、毎年八月十五日の夜、スタジオ解説をお務めいただきました。その際、毎年おっしゃっていたのは「精霊流しは見るものではなく送るものです」ということでした。

戦後は、長崎市外からの見物客も増え、本来は故人をしめやかに送る行事が観光名物化しました。道中、船を激しく回したりする映像を見ると、先生は「船を回すと、仏様が目を回しますよ」と優しく諌めていらっしゃいました。

スタジオ進行はこの二十年あまり、女性アナウンサーが担当するようになりました。その頃から先生が口にするようになったのが――

「来年は私が乗りますから」です。

フォローがとても大変なアナウンサー泣かせのフレーズです。ご長寿ゆえの、ブラックジョークです。とはいえ視聴者の皆さんも、妙にそのフレーズを待っていて「越中先生のあ・い・ば聞かんば、盆の終わった気のせん」という方もいらっしゃいます。

そんな声が先生の耳にもきっと届いていたのでしょう。サービス精神旺盛な先生は、番組の最後にはこのフレーズで締め括るというのがお約束になっていきました。

長崎放送のおよそ七十年間の歴史の中で、ラジオ時代の歴史エンタテイナーが「長崎ものしり手帳」を担当された永島正一さんとすれば、テレビ時代は越中先生でした。無理が効かなくなり、晩年は一つ一つ大切な仕事を仕舞っていかれたという印象があります。

先生、本当にお世話になりました。来年の盂蘭盆会には、この町にお帰りになるでしょう。そして精霊船に乗った先生を、先生の言いつけ通りに静かに西方浄土へお送りしたいと思います。


（はやしだ　しげかず＝長崎放送アナウンサー）

■長崎歴史文化協会での「門前の小僧」

目と耳と足で学んだ越中先生からの教え

元長崎歴史文化協会理事　山口　広助

高田泰雄先生の紹介で越中先生に出会う

越中哲也先生の訃報を受け、通夜そして告別式に参列しました。帰り道、あるマスコミの方から取材を受け、先生の想い出を語ったのですが、若い記者が発した最後の言葉「お弟子さんですか？　お弟子さんを証明するものはありますか？」と。振り返って私は先生からたくさんのことを学びました。しかし世間は先生の学問を私がどれだけ学んでいたか、受け入れていたかは定かではない。まだまだ勉強が足りないなと反省した瞬間でした。

私は今から約二十年前の三十代のころサラリーマンをしていた関東から帰郷し長崎のことを学び始めました。当初は越中先生ではなく高田泰雄先生に教えを被りました。高田泰雄先生は、明治以降の長崎を代表する商家として発展した肥塚《こいづか》家から長崎丸山の料亭「加《か》寿美《すみ》」に入った方で、第二次大戦後の長崎丸山を盛り上げ活躍された方です。料亭の経営と調理などをこなし、丸山町自治会では若手として長崎くんち踊り町の第一線で活動し、当時、大変忙しくされていた方です。交友関係では版画家の田川憲先生をはじめ、長崎学の権威渡辺蔵輔先生とも親交が厚く、さまざまな情報や知識を得ていました。そんな高田先生が偶然にも私の店「青柳」に立ち寄られたのが運命の出会いだったのかもしれません。高田先生は私の祖母や母とも懇意にされていたこともあって初対面の私に快く接していただき、当時ご指導されていたカルチャースクールのＮＢＣ学園の歴史講座に参加するようお誘いを受け、私の長崎歴史探求が始まったのです。平成十（一九九八）年のことでした。毎週のように長崎の様々な場所を巡り歩き、教えを被り、そして、当時高田先生が所属していた長崎歴史文化協会にも招待を受けるのです。

当時、旧公会堂前交差点横、桶屋町にあった旧十八銀行公会堂前支店の二階に長崎歴史文化協会（通称歴文協）の事務所があり、さっそく、どういう組織かも知らないまま「遊びにおいでよ」との一声にドアを開けました。そこは和気あいあいとした先輩方が集う事務所で大家の先生たちはじめ多くの有志が喧々諤々議論しているのではなく、普段の会話がそこにありました。本棚では高田先生が資料を整理していて、「こっちにおいで」といろんな長崎の本を紹介してくださいました。そして、事務所の奥、ひときわ大きな机にあの有名な先生。越中哲也先生がいらっしゃいました。「あっ青柳の……おかっつぁまは元気ね」と優しく声をかけてくださったのを今も鮮明に覚えています。

「水と油」のふたりの先生

昭和五十七（一九八二）年これはちょうど長崎水害の年ですが、この年に長崎歴史文化協会が発足しました。当時の十八銀行の清島省三頭取の肝いりで開かれ、長崎の歴史を語り続ける機関として地元の名士や市井の研究家などを集めた会で、その当初のメンバーが越中哲也先生であり高田泰雄先生だったのです。そこからは、いろんなご縁をいただくみたいに話が次から次に進み、ＮＢＣ学園の越中先生の歴史の講座にも通うことになり、週に二回、高田泰雄先生と越中哲也先生の長崎学の生徒になるのです。

高田先生は主に市街地から周辺各地の史跡から野山を駆け回る感じで学ぶより体験するという感じでしたが、越中先生の講座は市街地の神社仏閣の普段はいることができない場所などを念入りに見て回るといった講座でした。このころの私は夢のような時間であり一番楽しかった体験を得たといってもいいでしょう。この贅沢な体験は長崎学の面白さ奥深さを体感したときであり、今の私のスタートはここにあるのです。そしてこの二人こそが長崎歴史文化協会の発足のキーマンであり、当初は双璧のような間柄だったと思うのですが、実は私が感じた二人はある意味「水と油」でした。

片や博物館館長から長崎史談会の会長と長崎学の第一線を進み、たくさんの資料を読みあさり、マスコミの露出度も多くて長崎の有名人、片や料亭の旦那様で調理人、長崎の史跡をくまなく歩いて調べ上げ、長崎街道歩きや七高山巡りの案内人なども務めた「歩く長崎」の異名を持っていた人物です。学者先生と市井の研究家とでも表現しましょうか。どちらかというと越中先生が史実に基づいた歴史家であり、高田先生は実体験からの風俗民族専門家ですね。そんな二人に挟まれた私は今思えば贅沢な師匠に囲まれていたわけですが、実際はほとんど会話はなく同じ部屋にいるのだから直接話をすればいいのにと思っていました。だから私が互いの伝言を伝えたり、丁寧に翻訳して橋渡ししたりとちょっと忙しかった感じがありました。

今風にいうと互いにリスペクトしていたようで、お互い気になっている存在だったようです。越中先生から見ると、長崎の隅々まで歴史の存在を理解し、さらには野山を回ることで植物などにも精通しているところがあり、踊り町エリアの、それもくんちの創始にかかわる丸山町に住み、さらには長崎検番の芸妓衆にも顔が広い高田先生の姿はうらやましかったようです。逆に高田先生からすれば、博物館館長や史談会会長といった公職を歴任し、そのカリスマ性に集う人々の様子にうらやんでいるようで、さらには、お寺の息子として僧侶の免許を持った越中先生の存在は偉大だったかもしれません。

越中先生は高田先生に対し「山口くん　高田さんに言っとかんね。『あんまり山ばうろうろせんごと、転んでケガしたらなんにもならん』『もう歳だから七高山巡りは止めとかんね』」などなど、結構最後まで心配していました。逆に高田先生は「山口くん　越中さんに言っとかんね。『お酒ばかり飲みすぎんごと』『ちょっとしゃべりすぎばい。テレビに出すぎばい』」などなど、お互い気にはなっていたことは事実です。でも、よっぽど気になっていたのでしょう。ある時、越中先生が高田先生の話になり、だんだん私が高田先生の息子に見えてきたのか、「高田くん　早う帰って相手ばしとかんね」といわれたときはだいぶ興奮なされていたようです。

小説『長崎ぶらぶら節』の舞台裏

さて、そんな越中先生にはＮＢＣ学園の講座でいろんなところに連れて行っていただき

越中先生（中央）と、なかにし礼氏（左）。右は私

ました。講座の生徒は五名ほどでご年配の中に三十代の私がいました。ほぼ私に対してお話しするように解説いただきました。そして私に対していつもおっしゃる言葉は「あんたは知っとかんばいかん」といわれ、市内の普段は入ることができないところに出向きました。まずは私が丸山町に住むというところから料亭の花月に入り、資料館や庭園の石碑など解説していただき、その足で史跡「中の茶屋」にも入りました。

当時はまだ小説『長崎ぶらぶら節』発表前のころで「中の茶屋」は閉鎖されていました。それはそれは入るというよりジャングルに向かったような感覚でした。同行していた市の文化財課の担当者もちょっと迷惑な感じがヒシヒシと伝わってきました。でも、草をかき分けかき分け鳥居や手水鉢に対し念入りに歴史を解いてくださいました。まさかここが大ヒット映画の舞台となり多くの観光客で賑わう場所になるとは誰が想像できたでしょう。

このほか筑後町の「迎陽亭《こうようてい》」や「聖福寺《しょうふくじ》」、唐人屋敷跡や「滝の観音」など、それも各担当の方に連絡を取っていただき、普段はいることがないところばかり見学しました。ただ、平成十二（二〇〇〇）年当時の長崎は経済が衰退し、各史跡や神社仏閣は荒廃している場所が多く、関東から帰ってきた私は元気のない長崎を知るときでもありました。

研修旅行という名の「長崎学」ツアー

越中先生の長崎史談会の会長時代には、研修旅行と銘打ちよく中国訪問もされていました。ある秋、タイミングもあって同行させてもらったことがあります。それも私が結婚した直後で妻同行でした。このときは長崎発の飛行機で中国に向かい、厦門、福州、泉州と長崎に大変ゆかりの深い福建省の旅でした。特に日本の黄檗宗の起源となる黄檗山萬福寺は長崎学に欠かせない場所であることから、越中先生も機会があればぜひひと口癖のようにおっしゃった場所でしたので、旅行参加を即答したのを覚えています。

越中先生を囲んで。最後列の右端が私と妻

恒例の旅行ということもあって二十名近い旅行団で向かったのですが、史談会メンバーがほとんどで、私から見れば何か四国のお遍路ツアーにでも行くような感じに見えました。現地では一応研修旅行ですので、古い寺院や博物館を中心に巡りました。もちろん現地のガイドさんが説明しますが、長崎に関連したものなどは越中先生も入り解説をしていただく贅沢なツアーです。

いちばんの思い出は大本山黄檗山萬福寺で、長崎との深いかかわりがあったからか半日近く滞在し、隠元禅師をはじめとする高僧がこの場所から長崎に向かったと思えば並々ならぬ準備と覚悟があったことを知りました。ある日の夜、突然、越中先生がホテル前に集合するようにと声がかかり市街地巡りをしました。商店街や路地裏、土産品店など地域の人との交流はまさに異文化体験でした。小さな店で「拉麺」を食したのは印象に残っています。

最終日は先生が気を使ってくださり、夕食の最後に私たちが結婚したてということもあって、大きなケーキを準備していただき、私たちの一団とホテルのスタッフみんなでケーキ入刀や花束贈呈などのサプライズイベントには驚かされました。いい想い出です。この旅行の経験は長崎と福建省との交流の歴史を学ぶ上でとても重要な体験で、そのあとの私と中国とのかかわりに大きく影響したことは言うまでもありません。

師匠と弟子の歴史問答「話は面白おかしく」

長崎歴史文化協会が公会堂交差点前のビルの二階にあることは、私にとってとてもありがたいことでした。疑問があれば歩いていける距離だし、ちょっと時間があれば顔を出せる距離でした。今思えば些細な質問でしたが、わからないことがあるとすぐに越中先生のところへ質問に行き、にこやかに対応してくださいましたが、時がたつにつれ「コラっ！そんなことは自分で調べなさい」といわれ、あくまでも先生と生徒、師匠と弟子の関係であったと気づかされた瞬間でもありました。以降、わからないことがあれば歴史文化協会の事務所の本棚を眺め下調べをし、そして答えを導き出し、さらには自分の考えを準備してようやく先生の前に立つのです。そして自分の疑問、それについての資料の内容、そして自分が思った考え方を述べ、先生の「そう！　それでよかよ」の一言をもらってようやく解決するのです。これが学問だと思いましたし勉強になりました。

晩年、先生からのお願い事が多くなりました。敬老会での講演や企業での講演、さらには会合の代理出席とどんなに忙しくてもどんなに難しくても進んでお受けしました。受けるというより、すでに話がついていてもう私が行くだけの状態になっていたといったほうが早いですね。行事の直前に先生のそばに行き講演の趣旨や内容、話の進め方などを伺い、極めつけは「面白おかしく話ばしとかんね」と。つまり、難しい話を難しくいうのは簡単だけど、難しい話をいかに多くの人に理解させるか。越中節にはかないませんがその域に達するよう精進しなければと思います。先生が私を紹介するときの常套句「この人は学者先生じゃないから、偉くない先生よ」といわれると相手方は困惑しますが、これで私のことをかしこまらずに見ていただくし、場の雰囲気も優しくなったりするのです。さすが年の功です。

越中先生が長崎の歴史を語るときによくおっしゃったことは「観光と歴史は違う」。つまり、すべて史実通り話をすると全く面白くないし、すべて作り話だと誰もが怪しいと思う。長崎人はよく「げなげな話」と口にしますが、少し脚色があったりそう思うことで歴史が楽しくなり歴史を好きになる。誰もその時代に生きていたわけではないので本当のことは誰も分からないものです。長崎学とひとえに言っても、越中先生の描く長崎学はそういったところではないでしょうか。一人でも多くの長崎ファンを増やし長崎を大事にする心、長崎愛を育ませた功績は偉大だったと思います。一地方の西のはずれの街と揶揄されがちの長崎を決して他都市に負けない、負けることがない歴史文化が眠る長崎は先生の誇りだったのかもしれません。

私もその精神を大切にしてこれからも長崎の勉強を進めていきたいと思います。

今年の夏に頂いた手紙にこうありました。

「広助様には古賀、渡辺両先生の地方史研究を受け継いで戴き　市民に広くわかり易く広めて戴き　その昔　地方史を学んだ一人としてよろこんでおります　どうか休むことなく御つづけくださいませ」

いつも厳しい指導をされていた先生が急に優しくなっていたことに驚きましたが、ようやく認められたかなと涙しました。

誰もが入りやすく誰もが学びやすい長崎学となるよう、私もできる限り調査研究に努め長崎学のすそ野を広められたらと思います。

（やまぐち　ひろすけ＝丸山町自治会長、歴史風俗研究家）

■美術工芸と「一期一会」

長崎の美　越中先生との語らい

下川　達彌

「長崎学と長崎の行方」

平成二十八年（二〇一六）に第四十三回純心博物館講座（主催　長崎純心大学博物館）で「長崎学と長崎の行方」のタイトルで、越中哲也先生と小説家青来有一氏の対談が行われた。この折に司会を務めたのが私であるが、内容は長崎学の始まりから歴史、文学、民俗・年中行事など広範囲にわたって経験に基づく話は、視聴者にこれまでの長崎学が歩んできたアカデミズムとローカル性の二面の性格を分かりやすく示す機会となったと言えよう。

しかしその最後に「今後どう変わっていくか」またそれを今後誰が舵取りをして見て行くのかは大きな問題として残ったような気がした。これまで各分野でその中心的な役割を果たされてこられた越中哲也先生（以下、先生と記す）の業績を取りあげるときりがないが、その中には人との触れ合いを大切にして歩んでこられた人間性が滲み出ており、それが今日の長崎学を支えてきたひとつの柱になっていたのかも知れない。そこでこれから先生と私の触れ合いのいくつかを、懐かしく思い出して紹介することとしよう。

光源寺の門前が私の本籍

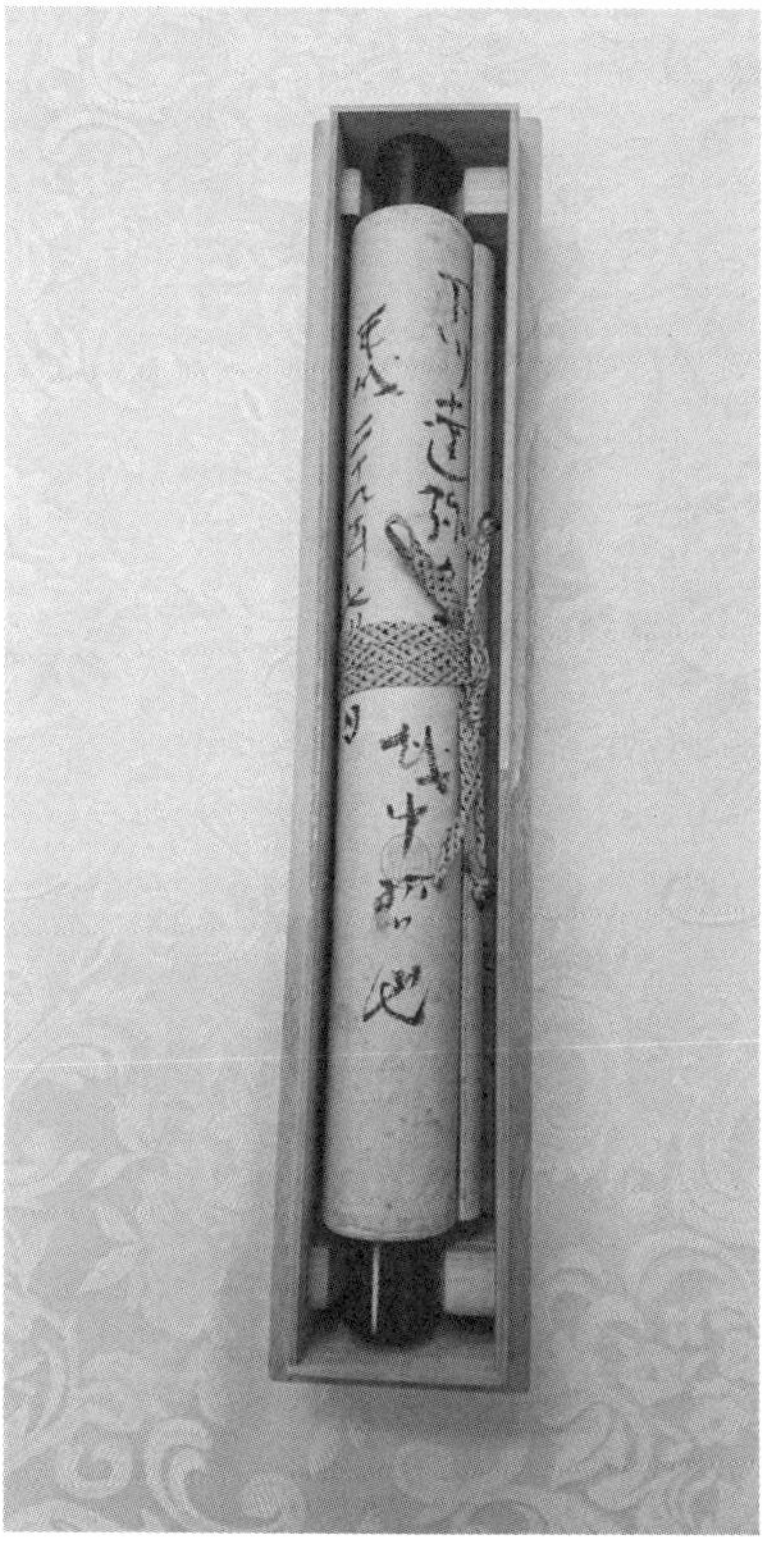

先生からの鮎の掛軸

もともと私の本籍は長崎市の伊良林で光源寺の門前にあった。寺の記録や墓地には先祖の墓もあったれっきとした檀家だった。ところが私とお寺や先生との交わりが深くなったの

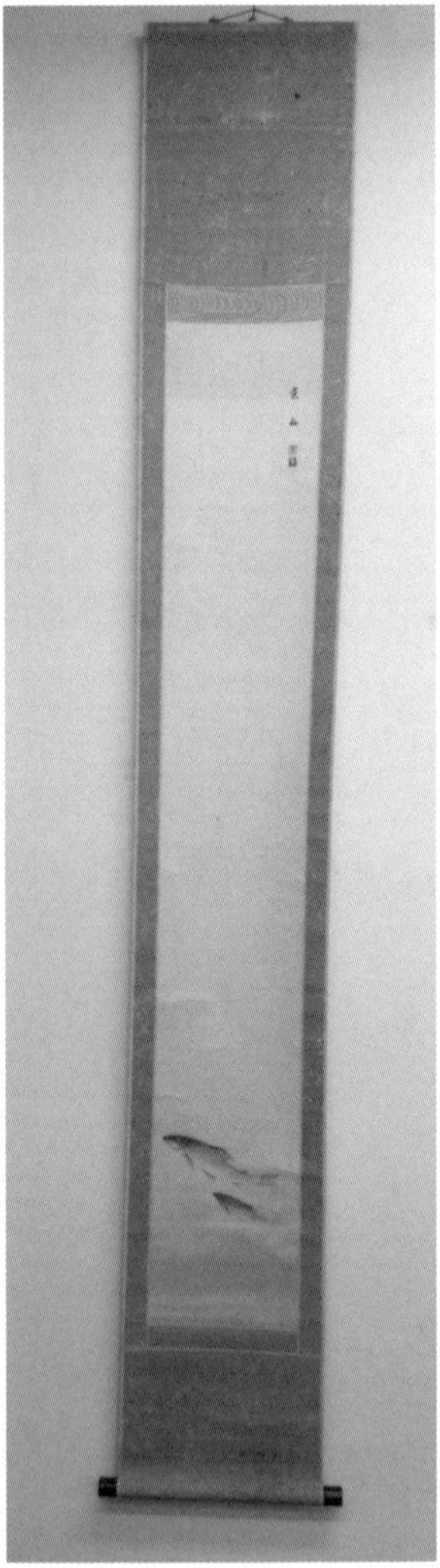

萩原魚仙筆 鮎の図

魚仙の落款印譜

鮎の図

は昭和四十三年（一九六八）からのことである。この年に県立高校の教師から長崎県立美術博物館の学芸員となった私と、机を並べるようになったのが大学を卒業したばかりの先生の弟の越中勇さんだった。

そのころ、館の運営委員をされていた先生が、「下川さんは誰ね（どこにいますか）」と、さっそく部屋を訪ねられて、

「僕がお経をあげに下川家に行っていた頃は（あなたは）こんなに小さかったもんね」

と言って手のひらで腰のあたりを示された。実際にそこまでは低くなかったが小学五年生の時であった。この再会の折に「専門は考古学と聞いてますが、長崎のこともしっかりと宜しくお願いしますよ」と言われた。この一言から今日までのおよそ半世紀にわたって、長崎の美について教えを乞うてきたのである。

それから程なくして、「下川さんの家は伊良林でも古かったし、木下逸雲とも縁があるという話だから長崎の資料があるとじゃなかろうか」と言われた。そこでさっそく、父の代に移住した佐世保の実家に帰って家探ししてみたら、僧鉄翁筆「歳寒三友図」の軸物と数点の焼物類などが見つかった。掛軸は正月にいつも床の間に飾られているもので、その前に和服で正座して屠蘇を頂く父の姿が思い出されるものであった。

当時はまだ何も知らない私は「時には何か別の掛軸でも」と思っていた記憶があり、そのことを先生にお話しすると、「それは下川家の正月掛けですね」と言われ、正月を祝うために飾るもので、毎年毎年掛け替えてはいけないものであるとの説明を受け、併せて「正月の年始参りで○○家を訪ねるとまたあの絵を拝見することができるという楽しみにしている人もいるんです」との補足説明までいただいた。そこで何だか芥川龍之介の小説『芋粥』の五位みたいですねと話しましたところ、「これからそれくらい美術工芸品の好きな人に沢山会いますよ」と言われた。事実、半世紀にわたる美術博物館勤務では個性溢れる多くの愛好家と接触し、そのことが広範囲にわたって興味を抱く私を作り上げたのであろう。

同時に見つけ出した焼物は亀山焼であった。ひとつは白の磁膚に鮮やかなブルーで描かれた唐草文の鉢で、高台内には「亀山製」の文字が角印風に書かれたもので容易に分かった。もうひとつは直径十二センチほどのくすんだ磁膚の小皿で、中央には私の家の家紋である剣梅鉢文が描かれていた。何の変哲もないこの雑器をお見せしたところ、先生は「これは下川家からの注文品でしょう」と言われた。こんな品をわざわざ亀山窯に注文したとは恥ずかしい気がしたが、先生は「当時はこれら卓袱料理の器を注文して揃えるところは決して多くはなくて、お客を迎える時にはあらかじめ町内で用意している道具類を借用して行ったものであった」と言われた。

確かに江戸時代の本で、六世紀頃に造られた古墳に「土器借り塚」の名前が付いたものがあった。これなども急な客などで食器が揃わずに、古墳の中に副葬品として納められていた食器類を借り出して使用していたためについた名前であるという。その背景には慌てふためく光景が面白く浮かび上がってくるなど、資料には探ると面白味も含んだ要素があることを併せて思い知ったのである。

資料から「物語を探りだす」仕事

私にとって最初の長崎の美術工芸と触れ合う調査は、単にその資料が擁する美的資料に留まらず、見えない部分を探り出して読むという新しい方法を、先生から教えていただいたが、これも雰囲気的には考古学での発掘から遺物整理の過程と繋がるものであったと言えよう。そうなると次の問題は遺跡から遺物を発見するように、どのようにして興味ある資料（美術工芸資料）を見つけて分析する（物語を探り出す）かである。そこで俗に言う名の知れた名品というものから日常生活に関わるものまで、広く見て歩むという方向を、私は固めたのである。

平成八年（一九九六）に長崎学事業の一環として企画・開催した展覧会「美術工芸で見る長崎の美」はそのような考え方から、出陳資料のほとんどを民間の所蔵家にお願いしたのである。その主旨と領域は展覧会図録に収めた拙著「多彩な長崎の美術工芸」に詳しいが、長崎の工芸品の数々を新たな視点から見るために「我が家の秘宝展」的な形で組み立てたものである。総点数一八八点の内の一六八点が民間所蔵家の出品であった。いずれにしても目にしていないものを見つけ出すという努力は、先生が常に大切にされてきた人との触れ合い、即ち茶道に由来する「一期一会」に通じるものを参考とさせていただいた。

「魚仙」の落款の掛軸をいただく

昭和五十五年（一九八〇）のある日、先生が「佐世保へ行ってお父さんと酒談義をしてきましたよ」と言われた。この時にあえて「酒談義」という言葉を使われたのは、過去に父が出版した本の題名がそれだったからである。父との会合の目的は食文化の取材であったらしく、それはやがて『長崎の西洋料理—洋食のあけぼの』（一九八二年）として出版されている。もともと酒を愛し食を愛した父としては早速に酒宴を開いて応じたものと思う。酒の味や銘柄はもちろんのこと、酒器や場の趣向など話は尽きないくらいだった思うが、そのことには触れられないで、ただ先生が言われたのは「小さい頃に魚仙に絵を習われたそうですね」の言葉だった。

そういえば小学五年生の時に家族で新地の中華街に食事に行き、その帰りに足を延ばして崇福寺に行ったことがあり、石段の途中で父が「ここに住んでいた絵かきさんに絵を習いに通っていたことがある」と言い、「よく画材の魚を買いに行かされたものだ」といった言葉も記憶している。それが萩原魚仙（一八七三～一九四二）であったことを初めて知った訳である。『グラバー図譜』などで知られる魚の画を得意とした魚仙については、昭和四十九年（一九七四）に長崎県立美術博物館が企画・開催した「明治大正昭和に生きた　長崎の物故画家一〇〇人展」で知ってはいた

亀山焼剣梅鉢文小皿

が、まさかその人物が父の先生だとは思わなかった。この事を知って実家に帰省した時に父と酒を酌み交わしながら、このような場を作ることができた先生に感謝するところであった。

ところがこれには後日談があって、平成二十九年（二〇一七）七月に先生から一本の軸を頂戴した。細長い画面の下の方に優雅に泳ぐ二匹の鮎の画で、右上の隅には「魚仙」の落款印譜があった。恐らく昔のことを憶えていて下さってのことだろう。

私は鮎の季節になるとこの軸を掛けて、今は亡き父を偲んでいる。

「来年は、私が精霊流しで流されるとばい」（先生の名セリフ）

どうかこれからは蓮の葉の上でゆっくりと、よろしければ父と酒談義をしていただきたいと思うのである。

（しもかわ　たつや＝元長崎県立美術博物館長、活水女子大学特別教授）

■はじめて明かす家族像

父越中哲也の「それでも日常」

越中　桐

「きょうはよか天気よ、お父さん」

まだ朝の暗いうちに病院から電話がかかり急行した。しかし父は逝ってしまった。もう息をしていない父のつるんとした額にさわってみた。ほんのり暖かかった。「まだ、生きとるみたいね」私は妹に言った。「うん」妹は返事をした。病室の窓から明るい朝日がさしてきたので、「きょうはよか天気よ、お父さん」と話しかけた。

若いころは、さんざん母に迷惑のかけ通しだった父だが、最後は家族に何ひとつ迷惑もかけずに逝った。それは、最後の家族孝行だったかもしれないけれど、ぜったいに人に迷惑をかけたくないという父のプライドだったかもしれない。

最後の入院をするまでは、すべてやれることは自分でやっていた。トイレもお風呂も。

散歩中の父（2019年）

散歩の相棒トトちゃん

起き上がったりするときに手助けしたり、歩く時は杖をついたりしていたが自分でなんでもこなしていた。そのうち、自分で起き上がるのも、トイレに行くのも介助なしではで出来なくなってしまった。父は「ああ、もう嫌ね」と悔しそうにいっていた。

そこで、リハビリ兼ねて入院しようということになった。

「2週間程度で帰ってこれるよね」

私たち家族はそう信じて、廊下に手すりを付けたり歩きやすくしたりと、あれこれ家の整備をしていたのだが、とうとう父は帰ってくることはなかった。

手をつないで歩いた散歩

入院するまで健脚を誇っていた父は散歩を日課にしていてた。毎日夕方、中島川の川縁のベンチまで歩く。そうして座っていると仲の良い人たちが集まってくる。そこで一時間ぐらいおしゃべりして帰ってくるのが日課となっていた。徐々に足腰が弱ってきていたがそれでも杖をつきコインランドリーの中や、石の腰掛け、軒下の段差があるところなど、座って休めるところを自分で決めて、中島川までの散歩を楽しんでいた。しかしとうとう足に痛みが出てきて歩くのが困難な状態となってしまった。そして日課の散歩も行かなくなってしまった。

散歩は行かないのかと聞くと、足が痛いので行かないという。庭を見ながら寝ている日が多くなった。私はリハビリも兼ねてそこまで散歩に行こう、私もついてくるけん、と言うと「そうね」と父は少し嬉しそうな返事をした。

はじめは、すぐ近くの御大師さんが祀ってある御堂まで歩いた。父と手をつなぎ支えてゆっくりと歩いた。父とこうやって手をつなぐのははじめてのような気がする。

二、三日するともうちょっと歩きたかと言ったので、もう少し先の若宮神社の階段の下の赤い鳥居まで歩くことにした。どうにかたどり着いて、夕方階段の下に父と二人で座った。「よう、歩けたね、もう大丈夫さ」私は本当にそう思っていた。けれども、再び父は歩けなくなってしまった。御大師さんまで来ると、「もうきつか、ここまででよか」という。二人で御大師さんの御堂の前の石段に座った。それが新しい散歩コースとなった。父と二人で石段に座ってぽつりぽつりと会話する。

もう少しでお盆になろうとする日の夕方の散歩、いつものように御大師さんの石段に腰掛けると「なんか、お盆までは生きとらんごたんね」と父。「そんげんことはなかさ」と私は言ったけど、最近の父の衰え方をみていると、もしかしたらとふっと嫌な考えが頭をよぎる。

嫌な気分を変えようと思い「この辺は、蚊が多か。あっ、また刺された」大きな声で自分の足をバシッと叩く。それを見ていた父は「自分は全然咬まれんよ、やっぱり先の長くなか人間は蚊も刺さんとかね」と嫌なことを言う。また気分が落ち込んでしまう。もう帰ろうと父の手をひいて帰路についた。

その後、父の足は衰えてしまい散歩も行けなくなってしまった。

こうやって父と二人並んで腰掛け、ゆっくりと会話するのは初めてだったようだ。そうして最後の会話にもなってしまったけど。会話の内容は、何処の誰がどうしたとか、今度の光源寺での講話の題材は何かとか、大した事は話さなかったような気がする。あまり覚えていないのだ。唯一覚えているのは「もう、何も聞くことはなかかね？」と言われたとき、「そうね」としか答えなかった。本当は聞きたいことが山ほどあるのに、ありすぎて考えがまとまらない、というのが本音だった。最後まで、あれこれと聞くことはできなかった。

結局、会話の内容よりも散歩に行って父と二人で座った夏の夕暮れの時間、涼しくなってきた夏の空気、そんなことを今でも覚えている。

何をしゃべったかよりもこの感覚が思い出の中心にあるように思う。これから毎年夏の終わりになったらこの感覚を思い出すことだろう。

散歩の相棒「トト」

最後の散歩の相棒は私であったが、長年の父の散歩の相棒は飼い犬だった。

父は動物が好きで、特に犬が大好きだった。あるとき、近所で子犬が産まれたと聞いて貰いにいったのだが二匹連れ帰ってきてしまった。茶色い子犬と黒い子犬。どちらも可愛くて選べなかったそうだ。この時代は犬二匹飼っていた。それほど犬が好きだったのだ。

その後来たのが柴犬の雑種犬トト。トトは最後の散歩の相棒である。どこにでも連れて行っていたので犬との散歩姿をご覧になった方も多いようだ。今でもあのワンちゃんはどうしたの、と聞かれることがある。

父もトトも年をとり、ゆっくりとした歩調で散歩にいった。そんな状態なのになかなか帰ってこない、どこにいったのかわからないが帰ってこないのだ。家族が心配しているのをよそに疲れきったトトを連れて帰ってくる。

「散歩行くなら一人でいってよ！　トトが可哀相か！」

とよく喧嘩になっていた。そんなトトも天寿を全うして天国に旅立った。その後また犬を飼おうかという話もでたが、年をとってよろよろになった父が犬をつれて絶対散歩に行ってしまう。もしそうなったら元気な犬に引っ張られ転んで大怪我をする。必ず怪我する、ということで犬を飼うのは却下した。

うちの庭には槇の木ともちの木があるのだが、父はそこにやってくる鳥を見るのを楽しみにしていた。冬になると、ヒヨドリ、メジロがやってくる。私は蜜柑を買い、半分に切って父の部屋の窓から見える枝に突き刺す、そうすると鳥たちが蜜柑を食べにやってくるのだ。「今日、鳥が蜜柑ば食べにきとったよ。大きか鳥がね、小さか鳥ば追い払いよったよ」と報告にきてくれる。だから私は父が嬉しそうにしているので、鳥が来るように毎日木に登って新しい蜜柑と取り換えていた。今年の冬はもう父はいないけれど、蜜柑はまた木に刺しておこうと思う。去年と同じように鳥たちはやってくるだろう。

入院、手術と「くんち」

元気そうにしていた父だが、病院には若いころから何度も入院、手術を繰り返している。大病をするのだ。だから父のお腹をみると手術痕が残っている。昔の手術した痕が、ブラックジャックみたいに継ぎはぎになっていた。

大腸癌の手術は二回もしている。二回目は三年ぐらい前の話。当時病院で最高齢の手術と話題になっていたようである。二回目なので人口肛門をつけることになるでしょうとのことだった。毎日の生活が大変になるかもしれないけど、こればっかりはしょうがないね、と話していた。その手術中、母と病室で手術が終わるのを待っていたところ、突然主治医から「すぐ手術室に来てください」と呼び出しが掛かった。母と私は顔面蒼白、これは何かあったに違いない、もしかするともしかするかも。急がなければならないが、母は足が悪く早く走れない。車椅子貸してください！　車椅子に母をのせると手術室にすっ飛

桶屋町がくんち踊り町のとき黒紋付で歩いた

んでいった。

するとと、先生はのんびりした様子で手術室から出てくると、「人口肛門はつけないでいいようですよ。つけますか、どうしますか」とのことだった。へなへなと座り込みそうだったが頑張って立っていた。気が抜けた。結局人口肛門はつけないですんだのだ。

「これって、幸運の持ち主なのか、それとも悪運が強いのかね」

母と私はほっとして、そんなことを話していた。

そしてもうひとつ、くんち大好き人間、通称くんちばかの父は、なぜかくんち前に入院することが多々あった。怪我をしたり病気になったりしてくんちのひと月前ぐらいに入院する。あと数日でくんちが始まるというころ、家族、病院の先生が止めるのも聞かず無理やり退院してしまうのだ。そしてくんちに飛び出して行く。もう家族は腹が立つやら、呆れるやらである。

今回入院したのもくんち前だったので、もしかするとくんち近くになったら元気になって退院するかもしれないと期待していたのだが無理だった。

もし今年のくんちがコロナで中止になっていなかったら、復活して病院を飛び出していたかもしれないと、ときどき考えてしまう。

「シスターが見舞いに来たとよ」

これは最後の病院での話である。入院して二、三日したある日、妹とお見舞いに行ったら、父が、「昨日ね、シスターがここに来たとよ」と言う。来るはずがないのだ。コロナ禍でお見舞いは家族だけしか来ることができない。どうも慣れない入院生活で幻影を見たようだった。

そこで私は「誰が来たと？　そのシスターは誰やったと？」と聞いてみた。すると父は「そいがさ、知らんシスターよ。知らんシスターが来たとよ」と言う。「へーよかったね」というと「うーん」と返事をしていた。嬉しかったようだ。

なんで、家族の幻影ではなくてシスター幻影をみるんだと思ったが、生前の父には、純心の片岡千鶴子、瑠美子、両シスターがいつも優しく接してくださっていた。シスターにお見舞いに来てほしかったに違いない。だからシスターの幻影をみたのではないか。

父が亡くなったその日、両シスターが一番最初に会いに来てくださった。父もやっとシスターに会えて喜んだにちがいない。片岡シスターには大変お世話になりました。ありがとうございます。

生前、父は「自分は人に好かれていないので葬式には誰も来ない。だから、葬儀はしなくていい。花を一輪供えてくれさえすればそれでいい」とふざけたことを言っていたが、本当のところ、大々的に葬儀をして誰もこなかったら恥ずかしい、と思っていたようだ。割と小心者なのだ。

しかし、大きな葬儀場にはびっくりするほどたくさんの人々が弔問に訪れてくださった。そして、悲しんで涙を流してくれた。お父さん、見てるかい、たくさんの人がきてくれた、慕われていたんだよ。よかったねお父さん。

（えっちゅう　きり＝越中哲也氏長女）

◇越中哲也（えっちゅう　てつや）氏略歴

１９２１（大正10）年　長崎市・光源寺長男として生まれる。

１９３４（昭和９）年　長崎県立長崎中学校に入学。

１９３９（昭和14）年　龍谷大学文学部に入学。予科から大学まで４年半在学。

１９４３（昭和18）年　徴兵されて兵隊へ。陸軍中野学校に1年学ぶ。

１９４５（昭和20）年　長崎に原爆が投下され（8月9日）、8月15日終戦。復員。

１９４９（昭和24）年　佐世保少年院法務教官。のち長崎少年保護観察所観察官。

１９５２（昭和27）年　渡辺庫輔より郷土史の教えを受ける。

１９５４（昭和29）年　長崎市立博物館に学芸員として勤務。

１９６２（昭和37）年　「長崎キリシタン文化研究会」発足。

１９６８（昭和43）年　「長崎ポルトガル協会」創立。

１９７４（昭和49）年　長崎市立博物館の館長に就任、定年（１９８２年）まで勤めあげる。

１９８２（昭和57）年　長崎歴史文化協会を設立、理事長となり２０１９年に閉鎖するまで。

１９８３（昭和58）年　長崎純心女子短大教授（英米文学科）につき、１９９６年まで。

１９９４（平成６）年　長崎純心大学開学。歴史資料館は「長崎純心大学博物館」に。

１９９７（平成９）年　長崎文化の研究と伝承の功績が認められ、勲五等瑞宝章受章。

２００２（平成14）年　長崎純心大学博物館の顧問。

２０１６（平成28）年　「長崎市長崎学研究所」開設。

２０１９（平成31）年　長崎歴史文化協会閉鎖。長崎市「ながさき歴史の学校」名誉校長。

２０２１（令和３）年　9月25日、99歳で逝去。長崎市栄誉市民の称号受ける。

追悼と鎮魂の緊急出版

ありがとう　越中さん

発行日　2021年12月13日

編　集　長崎文献社編集部

編集人　堀　憲昭

発行人　片山　仁志

発行所　株式会社　長崎文献社

〒850-0057　長崎市大黒町3の1　長崎交通産業ビル5階

TEL095(823)5247　FAX095(823)5252

ホームページ：https://www.e-bunken.com

メール：info@e-bunken.com

印刷所　日本紙工印刷株式会社

ISBN978-4-88851-368-5 C0023

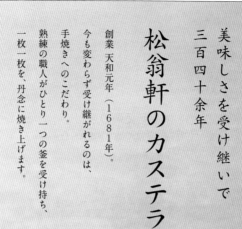

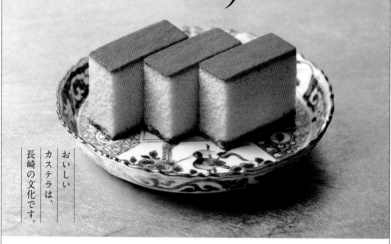

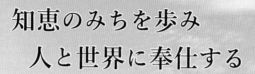

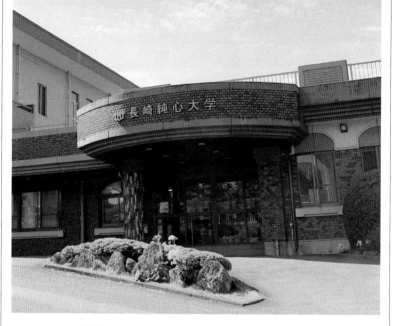

まだ見たことのない
特別な長崎に
逢える場所。
長崎を箱庭のように眺めることができる絶好のロケーションに佇むガーデンテラス長崎ホテル&リゾート。
オーシャンビューのゲストルームから外を眺めると、世界新三大夜景である長崎の煌めく街の明かりが海面に映り込む
幻想的な風景が広がる。また、豊かな自然と温暖な気候に恵まれた四季折々の旬を楽しめる「食の宝庫」長崎ならではの
山海の幸を使った料理を、施設内にあるテーマの異なった4つのテストランで味わい尽くす。
ゆったりとした時が流れる、「ここにしかない極上の長崎」をご体感ください。
GARDEN TERRACE NAGASAKI
HOTELS & RESORTS
ガーデンテラス長崎ホテル&リゾート
〒850-0064 長崎県長崎市秋月町2-3 TEL.095-864-7777
メモリードグループのリゾートホテル(九州)
長崎ロイヤルチェスターホテル
長崎県長崎市
長崎あぐりの丘高原ホテル
長崎県長崎市
ホテルフラッグス諫早
長崎県諫早市
ヴィラテラス大村ホテル&リゾート
長崎県大村市
ホテルフラッグス九十九島
長崎県佐世保市
九十九島シーサイドテラス ホテル&スパ花みずき
長崎県佐世保市
五島コンカナ王国ワイナリー&リゾート
長崎県五島市
雲仙湯守の宿 湯元ホテル
長崎県雲仙市
武雄温泉 森のリゾートホテル
佐賀県武雄市
ガーデンテラス佐賀ホテル&マリトピア
佐賀県佐賀市
ガーデンテラス福岡ホテル&リゾート
福岡県福岡市
ガーデンテラス宮崎ホテル&リゾート
宮崎県宮崎市
メモリードグループ
http://www.memolead.co.jp
総合本部 長崎県西彼杵郡長与町高田郷1785-10 TEL.095-857-1777
株式会社メモリード[九州]
本社 長崎県長崎市稲佐町2-2 ☎095-857-1777
福岡事業部/福岡県福岡市中央区警固3-1-7 ☎092-737-7000
佐賀事業部 佐賀県佐賀市天神1-1-24 ☎0952-97-8883
株式会社メモリード[関東]
本社/群馬県前橋市大友町1-3-14 ☎027-255-1777
埼玉事業本部/埼玉県川越市広栄町11-9 ☎049-241-0969
メモリード東京 東京都世田谷区砧2-4-27 ☎03-3749-1246